对外汉语本科系列教材

语言技能类 一年级教材

汉语教程 修订本

HANYU JIAOCHENG

第三册

上

初版

主 编：杨寄洲

编 者：杨寄洲 李

英 译：杜 彪

插 图：丁永寿

D1456457

修订本

修 订：杨寄洲

英 译：杜 彪

北京语言大学出版社
BEIJING LANGUAGE AND CULTURE
UNIVERSITY PRESS

图书在版编目（CIP）数据

汉语教程·第三册·上/杨寄洲主编. －修订本.
－北京：北京语言大学出版社，2011 重印
（对外汉语本科系列教材）
ISBN 978－7－5619－1671－1

Ⅰ. 汉…
Ⅱ. 杨…
Ⅲ. 汉语－对外汉语教学－教材
Ⅳ. H195.4

中国版本图书馆 CIP 数据核字（2006）第 068459 号

书　　名：汉语教程·第三册·上
责任印制：姜正周

出版发行：**北京语言大学出版社**
社　　址：北京市海淀区学院路 15 号　邮政编码：100083
网　　址：www.blcup.com
电　　话：发行部　82303650 /3591 /3648
　　　　　编辑部　82303395
　　　　　读者服务部　82303653 /3908
　　　　　网上订购电话　82303668
　　　　　客户服务信箱　service@blcup.net
印　　刷：北京外文印刷厂
经　　销：全国新华书店

版　　次：2006 年 6 月第 2 版　2011 年 10 月第 11 次印刷
开　　本：787 毫米×1092 毫米　1 / 16　印张：13
字　　数：186 千字　印数：63001—71000 册
书　　号：ISBN 978－7－5619－1671－1 / H·06119
定　　价：34.00 元

凡有印装质量问题，本社负责调换。电话：82303590

前　　言

　　这是《汉语教程》的修订版。《汉语教程》自 1999 年出版以来，被国内外很多教学单位选作教材。此次修订，我们进行了较大的修改和调整，使其更符合教学需要。

　　本教程的适用对象是零起点的汉语初学者。

　　第一册 1~30 课。分上、下两册，每册 15 课。建议课时为：1~25 课每课 2 学时，26~30 课每课 4 学时。（每学时 50 分钟）

　　第二册 1~20 课。分上、下两册，每册 10 课。建议课时为：每课 4 学时。

　　第三册 1~26 课。分上、下两册，每册 13 课。建议课时为：每课 6~7 学时。

　　全书共 76 课，在正规的教学单位，可使用一年。当然，各教学单位完全可以根据自己的教学对象和教学目标，灵活掌握。

　　编写这套教材的指导思想是，以语音、语法、词语、汉字等语言要素的教学为基础，通过课堂讲练，逐步提高学生听说读写的言语技能，培养他们用汉语进行社会交际的能力。同时也为他们升入高一年级打下基础。

　　本教材的体例是：一、课文；二、生词；三、注释；四、语音、语法；六、练习。

一、课文

　　本书第一二册（1~50 课）的课文以实用会话为主，也编写了一些叙述性短文。第三册（51~76 课）都是选编的叙述性短文。

　　课文是教材最重要的部分，也是课堂教学的主要内容。它是语法和词语的语用场，语法只是本教程课文编写的结构支撑，是一条暗线。离开课文，语法将无所依凭。初级阶段的汉语课堂教学，应该借助语法从易到难的有序性和渐进性，把句子的结构、语义和语用这三者结合起来。要让学生了解一个句子的使用语境。也要逐步让学生知道，在一定语境中怎么用汉语表达。

　　我们的目的是以语法为指导去学习课文，通过朗读课文、背说、写话等教学手段，提高学生听说读写的言语技能和运用汉语进行社会交际的能力。课堂上要用主要的精力带领学生听课文、读课文和说课文。教材中的生词、注释和语法说明，都是为课文教学服务的。

　　本书共出生词 2800 多个。这些生词充分照顾到了词汇大纲的规定。每课都有一定的量的控制。课堂上要把生词放在句子中去讲练。因为只有句子和课文才能规定词义的唯一性。

二、注释

　　注释是对一些语言点和文化背景知识的说明。

三、语法

本书的语法虽然不刻意追求系统性，但全书的语法安排是有章可循的，是严格按照由易到难，循序渐进的原则编排的。因此，如果不完成第一册和第二册的教学任务，进入第三册教学是困难的。需要强调的是，我们这套教材主要是借助汉语语法结构讲课文的，是以语法为指导，教学生说中国话的。因此，语法的讲解力求简明扼要，从结构入手，重点阐释其语义和语用功能，教学生怎么运用语法去说，去写，去表达。课堂上，要通过图片、电脑软件、动作等各种形象直观的教学手段，演示语法点，使学生感悟和理解每个语法点的意义、功能和使用语境，把语法、语境与交际紧密结合起来，提高学生运用汉语进行交际的能力。

四、语音

本教程用 10 课的篇幅集中进行语音教学。但严格说来，语音语调训练应该贯穿初级阶段课堂教学的全过程。语音训练的重要性，怎么强调都不过分。需要说明的是，到了句型、短文阶段，语音教学当然应该结合课文的朗读和背说来进行。我们在练习里设置的语音练习项目，只是起个提示作用。

五、练习

本教材的练习设计注意遵循理解、模仿、记忆、熟巧、应用这样一个言语学习和习得规律。练习项目包含了理解性练习，模仿性练习和交际性练习等，既考虑到了课堂教学的需要，也考虑到了自学者自学的需要。教师可以根据自己教学的实际灵活使用。自第二册开始，为部分练习提供了答案，供使用者参考。

对外汉语教学不同于母语教学的一点是，语言要素的教学不能孤立进行，语言要素教学过程本身就是言语技能和言语交际技能训练的过程。课堂教学是师生互动，讲练结合的过程。无论是语音教学还是语法句型和词语语段教学都要贯彻实践第一，交际为主的原则，精讲多练，这样才能收到良好的教学效果。

此次修订，编者听取了不少专家和教师的意见和建议，北京语言大学出版社也给予了大力的支持，在此，表示诚挚的感谢。同时，还要向帮助和支持我完成《汉语教程》初版编写工作的朋友和同事赵金铭、邱军、李宁、隋岩、丁永寿等表示诚挚的感谢。

本教程第三册的短文，大都选自报纸杂志，编者根据教学需要进行了加工改写。在此，也向原文的作者表示感谢之忱。

教材的疏漏之处在所难免。欢迎使用本教程的教师和同学们提出意见，以便及时改正。

杨寄洲

2005 年 11 月

致教师

《汉语教程》第三册（上、下）共26课，供经过半年以上正规训练，汉语水平相当于本科一年级下学期的学生使用。

第三册的教学重点仍然是课文，其次是词语的用法。教学的主要任务是：通过课文和词语的讲练，培养学生成段表达的能力，把言语交际提高到一个新水平。

课堂上要求学生弄懂课文的内容，课下要多读，要能把课文流利地朗读出来，并且能够把课文背着说下来。这是课堂教学一个非常重要的目标，也是提高学生汉语表达能力的主要手段，必须严格要求，务求达到目的。根据实践，一篇课文，学生一旦理解了，就要反复地朗读，不仅读得流利，还要能够复述。一般来说，学生只要认真朗读五六遍就能够背说下来。

词语教学要求学生对学过的词语能够理解语义，掌握用法。达到此目的的主要手段就是练习。本教材设计了丰富多样的练习，要求学生自己先做一遍，然后教师再带领学生共同做一遍，一方面复习，一方面检查修改学生所做练习的错误。

第三册每课的课时要求是六个学时（每学时50分钟）。当然，不同的教学单位完全可以根据自己教学对象和教学目的灵活掌握，我们这里提的要求是针对本科生而言的。本科教育，如果一年级达不到规定的要求，升入二年级就可能跟不上，所以必须按照大纲的要求，完成一定的教学量。

《汉语教程》（修订本）第三册由以下几个部分组成：课文、生词表、注释、词语用法、练习。

下面分别加以说明：

一、课文

第三册的课文以记叙文为主，内容多是反映中国当代社会生活的小故事。大部分选自报刊杂志，有的是根据留学生的优秀作文改写的，有的是编者根据有关资料编写而成。

二、生词

每课生词控制在 40 个左右，共出生词 1400 多个。

三、注释

注释部分主要解释课文里一些难点，有些属于词组和短语，学生在词典里不易查到。有些属于文化背景知识。

四、词语用法

每课挑出有五六个重点词语，讲解它们的用法。有的课还作了一些近义词语辨析。

五、练习

第三册的练习项目包括：回答课文问题、语音、词语、选词填空，完成句子，完成会话，连句成段，改错句，情景表达，综合填空等。教材后面都附有三项练习（连句成段、改错句和综合填空）的参考答案。

下边我们逐个介绍一下这些练习项目的设计目的和做法。

1．回答课文问题

这是一个传统练习项目，也是课堂上最常用的一个行之有效的练习。为了强调课文的重要性，此项练习我们放在了每课课文的后边。课堂上要求学生口头回答，课下可要求学生笔头回答，做在练习本上，起到复习课文的作用。需要说明的是，这个练习主要供学生笔头练习之用，由于教科书篇幅所限，不可能提更多的问题，老师在进行课堂练习时当然不应受此限制。

2．语音

这一部分包括两项内容：

一是辨音辨调。目的是让学生掌握本课所学词语的正确读音。需要说明的是，到了这一阶段，语音练习主要应该放在课文的朗读和复述上，第三册教材的语音练习仅仅是一种提示，提示大家到了这个阶段也不要忘记语音教学。实际上，最重要的是读课文，把课文读正确了，读熟了，语音问题就迎刃而解了。

二是朗读。这部分都是谚语、成语、名句、诗词等，我们当然希望学生能在老师的帮助下弄懂这些词语或句子的意思，以便引起他们朗读的兴趣，但是，教学中不必提出这样的要求，即使他们不懂这些词句的意思，只是读一读，也很好。不过，从教学实践中观察，学生们对这些词句很感兴趣，好学的学生都主动地问老师，当他们懂了这些句子的意思以后，便能认真地去读，甚至认真地记。

3．词语

我们把课文中出现的重要词语，组成新的词组，目的是让学生以此学会组词组，在随意学习和随意记忆中扩大自己的词汇量，当然也有认读汉字的作用。

4．选词填空

这个练习，有的课是两项。一是选择本课所学的词语，目的是复习本课所学词语，练习怎么造句。二是分辨一些近义词的意义和用法。

5．完成句子

第三册学到的重点词语，很多都是支撑一个复句的，为了练习这些词语的用法，就要给学生提供相应的语境。完成句子就是给学生提供一定的句内语境（上文或下文），让学生根据某个词语或结构来做出另一半，能表达一个完整的意思。

6．完成会话

有些词语在交际中，不仅不可能在孤零零的单句中出现，甚至也不可能在一个复句中出现，它需要更多的背景交代和铺垫，所以我们设计了这个练习，以便更合理真实地练习所学词语。

7．连句成段

这是以往同类教材中很少出现过的练习项目。我们知道，到了短文教学阶段，教学中遇到的一个突出难题就是学生单句可能说得对，但是一旦需要连句成段时就会出错，有时甚至不知所云，为了逐步培养学生语段（超句子）的表达能力，在对语段教学的理论研究尚不足以指导教学的现实情况下，我们设计了这个项目。至于效果如何，需要由实践来回答。随着理论研究的深入，语段、语篇教学的突破，或许会有更好的练习形式出现。这个练习项目只是培养学生语段表达的一个尝试。（我们在书后提供了这项练习的参考答案，供老师们备课时参考）

8．改错句

改错句是对外汉语教学不能忽视的一个重要内容。我们认为，学生应该从错误中领悟汉语语法和词语的用法，通过老师的指导和讲解，提高造句能力。只有认识了错误，才能改正错误，走向正确。教材中采用的这些错句，有的是我们平时从学生的作业中收集来的，有的是从有关书籍中借用的，当然，编者都进行了适当的整理和加工。这个练习要求在老师的指导下做（我们在书后提供了这项练习的参考答案，供老师们备课时参考）。

9．情景表达

这个练习包括两项：

一是提供一个常用句，这个常用句是学生学过的，或者能理解的，然后让他们说出这个句子可能是在什么时候说的，为什么说的，谁说的，对谁说的，以及说这个句子的表情、心情怎样等。也就是说让学生把这个句子出现的语境说出来。这一项是重点，当然也有练习成段表达的作用。

需要提醒的是，在做本书其他练习时，也可以适当采用这种方法。由于教材篇幅的限制，例句和练习多是以单句的形式出现的，因此，让学生猜测和理解这些单句的语境就是十分必要的。不然他们就会对如何运用这些句子进行交际感到困惑。

二是我们设置了一定的语境，要求学生说出在这个语境中应该怎么说，这个练习比较简单，但是很有用。

10．综合填空

这个练习的目的是培养学生对一篇文章的整体把握，培养学生逐步体会和掌握汉语的语感。这是比"连句成段"更进一步的练习。因为是综合性的，所以要求填写的，除了一些已经学过的体现一定语法点的功能词语以外，还要求学生填写一些常用的实词，如代词、动词、形容词等。填空完成以后，就是一篇有意思的小短文。所以学生可以利用这篇短文，练习阅读、朗读甚至复述。

编者

Contents 目录

| 第一课 | 离家的时候 |

一 课文 Kèwén ● Text ··

我很早就希望能有机会来中国学习汉语。现在这个愿望终于实现了，心里有说不出的高兴。

从去年夏天起，我就忙着联系学校，办各种手续，可是，这一切都是瞒着我的父母做的。我是独生女，如果把这件事告诉父母，他们多半不会同意，因此，我只跟朋友和教我汉语的老师商量，把一切手续都办好以后才告诉了他们。他们听了，果然不大愿意。爸爸说，你现在的工作不是挺好吗？妈妈说，你不打算结婚啦？

　　说实话，对于将来要做什么，我还没想好。可是现在我就是想学汉语，想到中国——这个古老而又年轻的国家去看看。我对父母说，我已经长大了，就像小鸟一样，该自己飞了。我要独立地生活，自由自在地去国外过一年，然后再考虑今后的打算。父母知道我的性格，决定了的事情是不会改变的，而且他们也觉得我的想法是对的，就只好同意了。

　　妈妈要我到中国以后，每个星期都给她打一次电话。爸爸说，最好常常发伊妹儿，告诉他们我在中国的一切。我答应了。临走前，他们给我买了好多东西，拼命地往我的箱子里塞。

　　爸爸开车把我送到机场。离别时，他远远望着我不停地挥手，妈妈在擦眼泪。看到父母恋恋不舍的样子，我的眼泪也一下子流了出来。

　　到中国以后，父母常常来信，总是嘱咐我要注意身体，注意安全。努力地学习，愉快地生活。

　　为了让他们放心，我也常去信或者打电话，表达我对他们的爱和想念。

回答课文问题　Answer the questions according to the text

（1）"我"现在在哪儿？"我"为什么"心里有说不出的高兴"？

（2）"我"为什么要来中国？

（3）"我"办留学手续为什么要瞒着父母？

（4）父母为什么不太愿意"我"到中国来？后来为什么又同意了？

（5）父母对"我"提出了什么要求？

（6）请说一说你自己离家时的情况。

1. 愿望	（名）	yuànwàng	desire；wish；aspiration
2. 终于	（副）	zhōngyú	finally；at last
3. 实现	（动）	shíxiàn	to realize；to fulfil；to come true
4. 联系	（动、名）	liánxì	to contact
5. 瞒	（动）	mán	to hide the truth from
6. 独生女	（名）	dúshēngnǚ	only daughter
7. 多半	（副）	duōbàn	the greater part；more likely
8. 因此	（连）	yīncǐ	so；therefore；for this reason
9. 果然	（副）	guǒrán	as expected；sure enough；really
10. 实话	（名）	shíhuà	truth
11. 对于	（介）	duìyú	with regard to；concerning；to
12. 古老	（形）	gǔlǎo	ancient；age-old
13. 而	（连）	ér	but (used to connect two elements opposite in meaning that show a contrast)；and (used to connect two parts that are consistent in meaning)
14. 鸟	（名）	niǎo	bird
15. 独立	（动）	dúlì	to be independent
16. 自在	（形）	zìzài	unrestrained；free
17. 考虑	（动、名）	kǎolǜ	to consider；consideration
18. 今后	（名）	jīnhòu	in future；from now on
19. 事情	（名）	shìqing	thing
20. 改变	（动）	gǎibiàn	to change
21. 想法	（名）	xiǎngfǎ	idea
22. 临	（动）	lín	just before

23.	拼命	（副）	pīnmìng	with all one's might；desperately
24.	塞	（动）	sāi	to fill in；to stuff
25.	离别	（动）	líbié	to leave；to depart
26.	望	（动）	wàng	to look at；to look over
27.	挥	（动）	huī	to wave
28.	眼泪	（名）	yǎnlèi	tears
29.	恋恋不舍		liànliàn bù shě	unwilling to see sb. leave
30.	嘱咐	（动）	zhǔfù	to enjoin；to advise；to urge
31.	放心		fàng xīn	to set one's mind at rest
32.	表达	（动）	biǎodá	to express（one's ideas or feelings）；to convey；to voice
33.	想念	（动）	xiǎngniàn	to miss

三 注释 Zhùshì ● Notes

（一）说实话 to tell the truth

用来引出下文，说明自己的想法和感情。也说"说心里话"、"说真的"。

"说实话" is used to introduce the words that follow, usually one's opinions, ideas or feelings. Also "说心里话"，"说真的".

（1）说实话，今天老师讲的我有的地方没听懂。

（2）说实话，我也是第一次来这个地方。

（3）说实话，我一点儿也不想去。

（二）自由自在地去国外过一年 live freely abroad for a year

"过一年"就是生活一年。

"过一年" means "live for a year".

(三) 我的眼泪也一下子流了出来 Tears suddenly welled up in my eyes.

"一下子"用来作状语。表示动作很快，时间很短。强调在很短的时间内动作完成，情况出现或变化发生。

"一下子" is used as an adverbial. It indicates that an act, a circumstance, or a change takes place, emerges or finishes quickly.

(1) 几年不见，他一下子长这么高了。

(2) 一过"五一"，天一下子就热起来了。

(3) 她没走好，一下子从楼梯上摔下来了。

四 词语用法 Cíyǔ yòngfǎ Usage ··················

(一) 终于 finally, at last

表示经过较长时间的努力或等待，最后出现了某种结果。这种结果多为希望得到的。

"终于" is used to indicate a result, usually an expected one, finally materializes after a long time of expectation or a lot of efforts.

(1) 我很早就希望能有机会来中国学习汉语，现在这个愿望终于实现了，心里有说不出的高兴。

(2) 经过努力，他终于考上了大学。

(3) 我很早就想看看长城，今天我终于看到了。

(4) 她当翻译的愿望终于实现了。

(二) 一切 all, everything

"一切"是代词。表示全部、各种。经常跟"都"搭配使用。作定语修饰名词时不能带"的"。

"一切", a pronoun, often collocates with "都". It cannot be followed with "的" when used as a noun modifier.

(1) 从去年夏天起，我就忙着联系学校，办各种手续，可是，这一切都是瞒着我的父母做的。

(2) 我一切手续都办好了，就等机票了。

(3) 刚来时是有很多地方不习惯，但是现在一切都习惯了。

(4) 这里的一切对我来说，都是那么有趣。

（三）如果　if

表示假设。

"如果" expresses a hypothesis.

(1) 我是独生女，如果把这件事告诉父母，他们多半不会同意。

(2) 如果有问题，可以来找我。

(3) 如果你想学太极拳，就去报名吧。

(4) 如果有钱，我一定去欧洲旅行。

"如果……"后边可以加助词"的话"。

"如果……" can be followed by the particles "的话".

(5) 如果下雨的话，我们还去吗？

（四）果然　as expected；sure enough；really

表示事实跟预想的或别人说的一样。用在谓语动词、形容词或主语前。

"果然" indicates a fact is just as expected or as described by others. It is used before predicate verbs, adjectives or subjects.

(1) 我把出国留学的事告诉了父母，他们听了，果然不大愿意。

(2) 听朋友说那个饭店的菜又好吃又便宜，我去吃了一次，果然不错。

(3) 天气预报说今天有雨，你看，果然下起来了。

(4) 大夫说吃了这种药，我的病就会好的，吃了药以后，病果然一天比一天好了。

（五）只好　have to；cannot but

表示（在某种情况下）没有别的选择，只能这样。

"只好" indicates that under some circumstances one has no other choice but to do what is stated after "只好".

(1) 父母觉得我的想法是对的，就只好同意我去留学了。

(2) 半路上忽然下起了雨，我没带雨伞，只好淋着雨往回跑。

(3) 昨天晚上我回来时已经没有公共汽车了，只好坐出租车。

(4) 真倒霉！刚买的词典就丢了，只好再买一本。

（六）对于　with regard to, concerning, to

"对于"多用于名词前；很少与动词、副词组合。

A preposition, may be used either before or after nouns, and is rarely used before verbs and adverbs.

(1) 说实话，对于将来要做什么，我还没想好。

(2) 对于这个问题，大家都很感兴趣。＊我们都对于这个问题感兴趣。

(3) 对于工作，他是很认真的。

(4) 多跟中国人谈话，对于提高汉语听说能力非常有帮助。

注意：用"对于"的句子都能换用"对"；但用"对"的句子，有些不能换用"对于"。

Note："对于"can be replaced by "对"in any sentence; but in some sentences "对"cannot be replaced by "对于".

(4) 朋友们对我很热情。

不能说：＊朋友们对于我很热情。

（七）而　and; but

Ⓐ 书面语。连接两个并列的形容词或形容词词组，表示互相补充。

"而" is used in the written language to link two parallel adjectives or adjectival phrases that complement each other.

(1) 我现在就是想学汉语，想到中国——这个古老而年轻的国家去看看。

（2）这个故事简短而生动。

B. 连接形容词、动词、小句，表示转折。用法与"但是"、"却"相同。

It is also used to link adjectives, verbs and clauses to indicate a turn in meaning. In this case, it is used similar to "但是" and "却".

（3）这种西红柿好看而不好吃。

（4）我选择这家饭店，花钱少而吃得好。

（5）哈尔滨还很冷，而中国南方已经春暖花开了。

五 练习 Liànxí ● Exercises

1 语音 Phonetics Exercises

（1）辨音辨调 Pronunciations and tones

终于	zhōngyú	充裕	chōngyù
心里	xīnli	心理	xīnlǐ
联系	liánxì	练习	liànxí
如果	rúguǒ	路过	lùguò
因此	yīncǐ	影视	yǐngshì
想念	xiǎngniàn	项链	xiàngliàn

（2）朗读 Read out the following poem

游子吟　　　　　　　　Yóuzǐ yín

（唐）孟郊　　　　　　（Táng）Mèng Jiāo

慈母手中线，　　　　　Cí mǔ shǒu zhōng xiàn,

游子身上衣。　　　　　Yóuzǐ shēn shàng yī.

临行密密缝，　　　　　Lín xíng mì mì féng,

意恐迟迟归。　　　　　Yì kǒng chí chí guī.

谁言寸草心，　　　　　Shéi yán cùn cǎo xīn,

报得三春晖。　　　　　Bào dé sān chūn huī.

2 词语　Read out the following phrases

实现理想	实现愿望	实现不了
收到信	收到通知	收下礼物
有联系	没有联系	联系学校
办手续	办事	办签证
临出发	临上车前	临上飞机
拼命跑	拼命学习	拼命工作
跟父母商量	跟学校商量	跟朋友商量
请放心	不放心	放不下心

3 选词填空　Choose from the following words to fill in the blanks

A. 恋恋不舍　如果　只好　果然　将来　终于　想念　联系
　　改变　嘱咐

(1) 我早就想能有机会到长城去看看，今天这个愿望＿＿＿＿＿＿
　　实现了。

(2) 大学毕业以后，我和她没有＿＿＿＿＿＿过。

(3) ＿＿＿＿＿＿她知道了这件事，一定会不高兴。

(4) 天气预报说今天有雨，你看，＿＿＿＿＿＿下起来了。

(5) 离开家以后，才知道我是多么＿＿＿＿＿＿父母。

(6) 妈妈总是＿＿＿＿＿我要注意安全。

(7) 我知道，如果把这件事告诉父母的话，他们多半不会同意，
　　所以＿＿＿＿＿＿瞒着他们。

(8) 刚到中国的时候，有好多地方不习惯，但是现在要离开了，
　　还真有点儿＿＿＿＿＿＿。

(9) A：你＿＿＿＿＿打算做什么？

　　B：我觉得我的性格当教师比较好。

(10) 世界上的一切事情都在变化中，你不觉得人的性格也会＿＿＿＿

_____吗？

B. 着　了　的　到　给　把　好　地　下

(1) 来中国以后，我收 __到__ 了她的一封信。

(2) 下班以后，她就忙 __着__ 买菜、做饭。

(3) 我把一切手续办 __好__ 以后，才告诉她我要出国，她听了以后有点儿不大高兴。

(4) 妈妈要我到中国以后，每个星期都 __给__ 她打个电话。

(5) 我很早就想爬上长城看看，今天这个愿望终于实现 __了__
_____，心里有说不出 __的__ 高兴。

(6) 临来时，爸爸给我买 __了__ 很多东西，拼命 __地__ 往我箱子里塞，因为东西太多，箱子都装不 __下__ 了。

(7) 朋友开车 __把__ 我送 __到__ 机场，离别时看他恋恋不舍 __的__ 样子，我的眼泪也流了出来。

(8) 你知道我的性格，决定了的事情是不会改变 __的__ 。

C.

(1) 北京烤鸭很好吃，_____不太贵。　　　　　（而　而且）

(2) 快考试了，大家都在忙着复习，_____麦克却旅行去了。
（而　而且）

(3) 我大学毕业_____，还没有跟她联系过。（以后　然后）

(4) 我打算明天下午先去邮局寄包裹，_____去银行换点儿钱。
（然后　以后）

(5) 我_____先在这儿学两年汉语，然后去别的大学学习中国经济。
（打算　愿意）

(6) 我们打算星期天去钓鱼，你要是_____就跟我们一起去。
（希望　愿意）

（7）A：暑假你有什么_____？

B：我还没_____好呢。 （打算　考虑）

（8）A：你_____不_____去云南？你要是想去，咱们

一起去，怎么样？

B：让我_____一下，然后再告诉你，好吗？

（打算　考虑）

（9）科学家认为现在全球气候正在_____暖。 （改变　变）

（10）他们研究过了，可能要_____原来的计划。 （改变　变）

4 给括号里的词选择正确的位置

Put the words in the brackets in the proper places

（1）这 A 就是 B 我要 C 告诉你的 D。 （一切）

（2）A 刚到 B 北京的时候，感到 C 都是 D 那么新鲜。 （一切）C

（3）A 那位老人 B 没走好，C 摔倒了 D。 （一下子）

（4）我想 A 用 B 你的 C 词典 D，可以吗？ （一下儿）D

（5）A 他到 B 现在 C 还没来，D 不来了。 （多半）D

（6）他 A 想多 B 睡 C 一会儿，D 不是病了。 （就是）A

（7）这一个星期 A 我就收 B 到 C 五件礼物 D。 （了）C

（8）我打算 A 放 B 假 C 就去南方旅行 D。 （了）

5 完成句子 Complete the sentences

（1）刚来的时候我不习惯，老师说，过一两个月就好了。现在，

一个多月过去了，_____。（果然）

（2）大夫说，坚持打一年太极拳，你的病就会好的，你看，我才

打了半年，_____。（果然）

（3）那天，我迷了路，_____。（只好）

（4）你看她的样子，_____。（多半）

（5）玛丽病了，同学们都来看她，_____。

（好好）

(6) 经过努力，_____。（终于）

(7) _____科学家们还有不同意见。（对于）

(8) 我哪儿都不想去，_____。（就是）

6 连句成段　Link the sentences into paragraphs

(1) A. 尤其是冬天的星空，常常使我看得入迷

　　B. 我的家乡是一个美丽小城

　　C. 每到晴天的夜晚，就可以看到明亮的星星

　　D. 小时候，我常爱看那美丽的星空

　　_____

(2) A. 到中国以后我还是这样

　　B. 后来离开了家乡，我仍然经常想起家乡那美丽的星空

　　C. 常常一到晚上就不由得会抬起头来往天上看

　　D. 天空有没有明亮的星星

　　_____

7 改错句　Correct the sentences

(1) 这件事你对她不该瞒。

　　_____

(2) 我终于快到中国了。

　　_____

(3) 你可以把我作你的朋友。

　　_____

(4) 看到这种情况，我的眼里流了眼泪。

　　_____

(5) 因为买票的人太多，我们没有买到睡票，只好买了坐票。

　　_____

(6) 我放行李在飞机场的大厅里。

　　　_____

(7) 她结婚了一个有钱人。

　　　_____

(8) 我从小就是喝妈妈的牛奶长大的。

　　　_____

❽ 情景表达 Language and context

A. 下列句子是什么情况下说的?

(1) 现在我的愿望终于实现了，心里有说不出的高兴。

(2) 如果把这件事告诉她，她多半不会同意。

(3) 看她那恋恋不舍的样子，我的眼泪也一下子流了出来。

B. 下列情况怎么表达?

(1) 朋友请你帮帮她，你没有时间，但看到朋友的样子，你还是答应了，怎么说?

（只好）

(2) 和男/女朋友离别时，不想离开，眼泪都流了出来，这种情景，怎么说?

（恋恋不舍）

(3) 刚来中国，觉得不习惯，特别想家，怎么说?

（想念）

❾ 综合填空 Fill in the blanks

　　半年前，我临来中国时，朋友们一起①_____我过了一次生日。当时，最让我难忘的是：大家送给我一个戒指，上面刻②_____一句话："我们都爱你。"看到这句话，我的眼泪一下子就流了③_____。想到就要和朋友们分别了，我真有点儿恋恋不舍。但是，来中国留学的手续已经办好了，我只好告别朋友，坐④_____

__了飞往中国的飞机。

一个人来到异国他乡，⑤_____都是陌生的，一切都感到不习惯。但是到中国不久，我就认识了不少新朋友。可以说，我能一直坚持学习到现在，除了国内的朋友支持我、帮助我、鼓励我以外，更重要的是因为有了这些新朋友。⑥_____没有她们，我在中国的生活会是非常孤独和寂寞的。

刚到中国一个月，我⑦_____因为重感冒住进了医院。在医院里，我感到非常寂寞，十分后悔到中国来。正在我感到非常孤独和寂寞时，遇到了一位热心的中国大学生。⑧_____与我同住一个病房，每天都邀我一块儿下楼去吃饭、散步。我觉得心情一下子好多了。有时晚上，医院里还组织联欢会，每次大家都邀请我唱一支我们国家的歌。虽然我唱得不太好，但是大家听了都给我鼓掌，让我很感动。在病房里，这位朋友还教我学汉语，成了我的辅导老师。⑨_____她的帮助下，我的功课并没有因为住院落下。

出院后，朋友还邀请我到她家去玩，她的父母像对自己的女儿一样对待我，使我感到就像回到了自己家一样。认识了朋友这一家人，⑩_____我对中国，对中国人有了更多的了解。

补充生词　Supplementary words

1.	戒指	jièzhi	（finger）ring
2.	刻	kè	to carre；to cut
3.	鼓励	gǔlì	to encourage
4.	孤独	gūdú	lonely；alone
5.	后悔	hòuhuǐ	to regret
6.	落	là	to fall behind

Lesson 2

第二课	一封信

一　课文 Kèwén　● Text

爸爸妈妈：

你们好！爸爸还那么忙吗？一定要注意身体啊。

你们寄来的生日礼物上星期就收到了。我现在一切都很好，吃得好、睡得好，学习也不错。你们就放心吧。

刚来时是有很多地方不习惯，但是现在基本上已经习惯了这里的生活。学习上也没有什么问题。中国人常说"在家靠父母，出门靠朋友"，我现在交了好多朋友。今天给你们发回去的几张照片，第一张就是

我们全班同学一起给我过生日的情景。我们班有十八个同学，分别来自亚洲、非洲、欧洲、美洲、澳洲等五大洲十一个国家。能跟这么多同学一起学习，认识这么多世界各国来的朋友，我感到非常高兴。大家一起学习，一起聊天儿，一起参加各种课外活动，同学们互相关心，互相帮助，非常团结。所以我每天都过得很愉快。站在我旁边那

· 15 ·

个高个子，黄头发，蓝眼睛的小伙子，就是我的好朋友，长得很帅吧。我们俩常常一起玩儿，还一起学打太极拳。

第二张就是我学打太极拳时拍下来的。现在我每星期有两个下午去体育馆学打太极拳。太极拳是一种很有意思的运动，动作柔和缓慢，优美舒展，又有增强体质、预防疾病的作用，所以，是一项很受欢迎的体育运动。我每次练完以后，都觉得全身特别舒服。回国后我想教爸爸妈妈学打太极拳。

第三张是我在用毛笔画画儿，写汉字。除了学习汉语以外，我还参加了一个书画学习班，学用毛笔写字，画中国画儿，我觉得十分有趣。上星期我画了一幅竹子，写了一首唐诗，老师说我画得很好，还把它拿去，挂在学校的展览橱窗里展出了，我看了以后觉得又高兴又不好意思。朋友们看到以后，都向我表示祝贺。

对了，我还学会了用筷子吃饭。最后一张就是我在用筷子吃饭。前天我们去吃北京烤鸭时，我让朋友把我用筷子吃饭的样子照了下来，你们看看，怎么样？好玩儿吧。

爸爸妈妈担心北京的冬天太冷，怕我不适应。可是我一点儿也不觉得冷。也许北京也变暖和了吧。在家的时候，一到冬天我都会感冒一两次，来中国快半年了，因为每天坚持锻炼，连一次病也没得过。

就写到这儿吧。我要跟朋友一起出去了。

祝爸爸妈妈身体健康！

玛丽

一月二十八日

回答课文问题　Answer the questions

(1) 玛丽现在在哪儿？

(2) 她现在生活得怎么样？

(3) 她参加了一个什么班？

(4) 她以前会用筷子吗？

(5) 她来中国多长时间了？

(6) 介绍一下这几张照片。

二　生词 Shēngcí ● New Words

1. 封	（量）	fēng	(a classifier for sth. sealed)
2. 上	（名）	shàng	preceding（in order or time）
3. 基本上		jīběn shang	basically
基本	（形）	jīběn	essential；fundamental
4. 交	（动）	jiāo	to associate with；to be friend
5. 分别	（副）	fēnbié	respectively；separately
6. 来自	（动）	láizì	to come from
自	（介）	zì	from
7. 等	（助）	děng	and so on；etc.
8. 洲	（名）	zhōu	continent
9. 课外	（名）	kèwài	extracurricular；after school

10. 关心	（动）	guānxīn	to have sb. or sth. on one's mind; to pay great attention to and care for; to be concerned about
11. 团结	（形）	tuánjié	united; friendly
12. 站	（动）	zhàn	to stand; to get up
13. 黄	（形）	huáng	yellow
14. 个子	（名）	gèzi	height
15. 柔和	（形）	róuhé	soft; gentle; mild
16. 缓慢	（形）	huǎnmàn	slow
17. 优美	（形）	yōuměi	graceful; fine
18. 舒展	（形）	shūzhǎn	unfold; extend; smooth out
19. 增强	（动）	zēngqiáng	to strengthen; to heighten
20. 体质	（名）	tǐzhì	health; physique; constitution
21. 预防	（动）	yùfáng	to take precautious against; to guard against; to forestall
22. 疾病	（名）	jíbìng	disease
23. 作用	（名、动）	zuòyòng	impact; result; to act on; to affect
24. 项	（量）	xiàng	(a classifier for itemized things)
25. 后	（名）	hòu	after; afterwands
26. 毛笔	（名）	máobǐ	brush made from wool, weasel hair, etc. for writing or painting
27. 书画	（名）	shūhuà	painting and calligraphy
28. 竹子	（名）	zhúzi	bamboo
29. 诗	（名）	shī	poem; poetry
30. 橱窗	（名）	chúchuāng	glass fronted billboard, used to display photographs, etc.
31. 展出	（动）	zhǎnchū	to exhibit; to display; to show; to open up

32. 表示	（动）	biǎoshì	to show; to express; to indicate
33. 筷子	（名）	kuàizi	chopsticks
34. 好玩儿	（形）	hǎowánr	amusing; interesting
35. 适应	（动）	shìyìng	to suit; to adapt to
36. 健康	（形）	jiànkāng	healthy

专名　Zhuānmíng　**Proper Names**

1. 亚洲	Yàzhōu	Asia
2. 非洲	Fēizhōu	Africa
3. 澳洲	Àozhōu	Australia
4. 美洲	Měizhōu	America

三 注释 Zhùshì ● Notes

唐诗　Tángshī

唐代的诗歌。唐即唐朝（公元618～907），是中国古代最繁荣昌盛的朝代之一。都城是长安，现在陕西省西安。

Tang poetry. Tang Dynasty（618～907）is one of the most prosperous dynasty in ancient China with the capital in Chang'an（present-day Xi'an in Shaanxi Province）.

四 词语用法 Cíyǔ yòngfǎ ● Usage

（一）靠 rely on; be close to

A. 依靠　depend upon

（1）中国人常说"在家靠父母，出门靠朋友"，我现在交了好多朋友。

（2）父母死得很早，他能上到大学，全靠学校和国家的帮助。

（3）我们一家全靠父亲的工资生活。

B. 接近或挨着某地方　close or next to a place

(4) 我的家乡，前边临着一条河，后边靠着一座小山，是有名的风景区。

(5) 屋子里，靠墙放着一张桌子。

C. 人或物体倚着其他人或物体　a person or a thing leaning on another

(6) 别靠在我身上。

(7) 他靠着沙发睡着了。

（二）各　all；each；various

指在某个范围内的所有个体。用在名词或量词前。

"各" refers to everyone/everything within a specified category. It is used before a noun or a classifier.

(1) 能认识这么多世界各国来的朋友，我感到非常高兴。

(2) 每天都有全国各地的旅游者来这里参观。

(3) 请各班同学快上车，我们马上就要出发了。

比较："各"和"每"
Compare："各" and "每"

Ⓐ 都指所有的个体，但意义上的着重点不同。"每" 着重于分指，而 "各" 则着重于遍指。

Both refer to all, but the emphases differ. "每" means "every"；"各" is very close to "each".

(4) 每个人都有自己的爱好。不说：＊各个人都有自己的爱好。

(5) 每星期有一次太极拳课。不说：＊各星期有一次太极拳课。

Ⓑ "各" 可以直接加在一些名词前，"每" 要带量词或数量词才能用在名词前（人、家、年、月、日、天、星期、周除外）。

"各" can be used conveniently before some nouns, while "每" will have to be used with a classifier or a numeral（except 人，家，年，月，日，天，星期，and 周）.

各国、各学校、各医院、各单位。

不能说：＊每国、每学校、每医院、每单位。

可以说：每个国家、每个学校、每个医院、每个单位。

Ⓒ "各"后只能跟一部分量词，"每"后可以用各种量词。"每"可以和数量词结合，"各"不能跟数量词结合。

"各" can be followed with only some classifiers. "每" may be followed by any classifiers. "每" can be linked with a numeral – classifier, "各" cannot.

（6）她穿的每件衣服都很漂亮。

不说：＊她穿的各件衣服都很漂亮。

（三）表示 to show; to express; to indicate; words, action or air expressing one's ideas and feelings

Ⓐ 用言语行为显出某种思想、感情、态度等。可以带 "了"、"过"，可以重叠，可以带名词宾语和动词宾语。

"表示" means to express an idea, a feeling, attitude, etc. It may be followed by "了"，"过" and may be duplicated. It may take a noun or a verb as object.

（1）朋友们知道我考了第一名，都向我表示祝贺。

（2）我送给老师一张照片，向老师表示感谢。

Ⓑ 事物本身显出某种意义或者凭借某种事物显出某种意义。

"表示" may indicate a meaning through itself, or a meaning is expressed by something.

（3）点头表示同意。

（4）送你玫瑰花表示对你的爱。

Ⓒ 显出思想感情的言语、动作或神情。

"表示" may refer to words, actions or response that show the feeling or emotion.

（5）你说了以后，他有什么表示？

（6）她这样做是友好的表示。

(四) 又……又……

"又……又……" 表示几个动作或状态、情况累积在一起。

"又…又…" is used to show several acts or state of affairs that follow each other.

(1) 我看了以后觉得又高兴又不好意思。

(2) 她又会唱歌又会跳舞。

(3) 这件又便宜又好看。

(五) 分别 respectively；separately

各自，不是共同的，不一起 involving variety and diversity

(1) 我们十八个学生分别来自十一个国家。

Ⓐ 采取不同方式 involving different manners

(2) 对不同情况，应该分别对待。

Ⓑ 几个主体对几个对象 involving more than one subject or object

(3) 王老师和林老师分别找她俩谈了话，现在她俩的关系好
多了。

Ⓒ "分别" 还是动词或名词。

"分别" is also a noun or a verb.

(4) 要注意 "已" 和 "己" 这两个汉字的分别。

(5) 我们分别已经一年了。

五 练习 Liànxí ● Exercises ·······························

❶ 语音 Phonetics Exercises

(1) 辨音辨调 Pronunciations and tones

个子	gèzi	各自	gèzì
放心	fàngxīn	烦心	fánxīn
柔和	róuhé	如何	rúhé

体质	tǐzhì	抵制	dǐzhì
预防	yùfáng	乙方	yǐfāng
竹子	zhúzi	出自	chūzì

（2）朗读 Read out the following phrases

诗中有画，画中有诗 shī zhōng yǒu huà, huà zhōng yǒu shī

诗情画意 shī qíng huà yì

2 词语 Read out the following phrases

上星期	上月	上周	上学期
学习上	工作上	生活上	班上
发信	发照片	发伊妹子	发短信
起床后	下课后	吃饭后	回学校后
来自美国	来自亚洲	来自各国	来自上海
动作柔和	动作缓慢	动作优美	动作舒展
预防疾病	预防感冒	有作用	没有作用
表示感谢	表示满意	没有表示	爱的表示
很好玩儿	不好玩儿	不太适应	很难适应

3 选词填空 Choose words to fill in the blanks

课外 发 优美 表示 柔和 放心 适应 首 作用 预防
分别 好玩儿

（1）我在这里一切都很好，请爸爸妈妈_____。

（2）我给你们_____过去了几张照片，是我在长城、颐和园照的。

（3）我们班一共二十个学生，_____来自七个国家。

（4）她不太喜欢参加这些_____活动。

(5) 她说话的声音很_____，很好听。

(6) 我们学校就在风景_____的西山下。

(7) 打太极拳可以锻炼身体，增强体质，_____疾病。

(8) 针灸和按摩对于这些慢性病有很好的_____。

(9) 这是一_____非常有名的唐诗。

(10) 他一次又一次向我_____，他喜欢我，可是我已经有男朋友了。

(11) 那是一个非常_____的地方，这个星期我们去那儿玩玩吧。

(12) 我还不_____这里的气候，冬天太冷，夏天太热。

❹ 完成句子 Complete the following sentences

(1) 刚来中国时，觉得_____。 （一切）

(2) 我们_____，也许能找到。 （分别）

(3) _____，我才找到这个地方。 （靠）

(4) 这个暑假我一定_____。 （各）

(5) 他对我的帮助很大，我真应该_____。 （表示）

(6) 中国菜_____。 （又……又……）

❺ 完成会话 Complete the following dialogues

(1) A：我对新的东西感兴趣，你呢？

    B：我对这里的_____。 （一切）

(2) A：你们班有多少国家的学生？

    B：我们班的同学_____。 （分别）

(3) A：你觉得_____？

    B：很好。他讲得又清楚又有意思。

（4）A：中药_____。（作用）

B：当然有作用。我的病就是喝中药以后才好的。

（5）A：出国以后才知道，还是在家好。

B：可是，一个人不能_____。（靠）

（6）A：你把礼物送给她以后，_____？（表示）

B：没有，她一点儿表示也没有，看样子还有点儿不太高兴。

6 连句成段 Link the following sentences into paragraphs

（1）A. 我们每个人的照片都记录了自己人生历程的一段时光，留下了生活的欢乐

B. 一边看，一边回想照片上的那些人和事，回忆那过去的美好时光

C. 因此，翻相册、看照片成了我生活中的一大乐趣

D. 一拿起相册就要翻来翻去看半天

_____

（2）A. 所以说语言是社会交际的工具

B. 没有社会生活就不会有语言

C. 语言是在社会生活中产生的

D. 人在社会生活中跟别人交往需要语言

E. 你要想把一种语言学好，就要勇敢地去用语言跟别人交际

_____

7 改错句 Correct the sentences

（1）一切的困难我都不怕。

_____

（2）我昨天叫她别去，可是她还是去了，我白告诉她。

_____

(3) 他每天早上在公园里打太极拳和气功。

　　　　_____

(4) 各个国都有不同的习惯和想法。

　　　　_____

(5) 我躺在床上翻来倒去不睡着。

　　　　_____

(6) 我把这里的景色拍照了下来。

　　　　_____

8 情景表达　Language and context

A. 下列的句子什么时候说？

(1) 这就是我要告诉你的一切。

(2) 我还不太适应。

(3) 我又高兴又不好意思。

B. 下列的情况怎么说？

(1) 怎么说明太极拳的动作？

(2) 怎么说明打太极拳的作用？

(3) 一个小伙子长得又高又好看，怎么说？

9 综合填空　　Fill in the blanks

雪后爬长城

　　上星期，女朋友打电话说要来看我，①_____我等了一个星期她也没来。为她准备好的鲜花都干了。我想她可能有事来不了了，没想到，昨天她突然来了。

　　星期六夜里，下了一场大雪，第二天早上起床一看，外边的雪景很美。这时我突然想带女朋友去长城看雪景。我给她去了个电话，问她愿意不愿意去长城。她说她也正要给我打电话，问我想不想去呢。

太阳②_____了，是个好天气。吃了早饭我们就坐车出发了。

只用了两个多小时，我们③_____到了长城。女朋友说："'不到长城非好汉'，今天我们到了长城，也算是好汉了。"长城上没有人，很静。几个工作人员看见我们都笑了，我不知道他们为什么笑。大概他们觉得下这么大的雪还来爬长城很奇怪④_____。买了票我们就往上爬，因为有雪，爬不上⑤_____。我们刚爬上去几步又滑下来，滑下来再爬上去，很有意思。长城上只有我和女朋友。爬了快一个小时了，我女朋友累⑥_____有点儿爬不动了。我要拉她，她不让，一定要自己爬上去。我们爬了差不多两个小时，⑦_____爬到了长城最高的地方。站在上边往下看，眼前是一片白色的世界，真美啊！我们在长城上照了很多相，⑧_____在长城上边堆了一个大雪人。

下来的时候，我们一会儿扶着墙走，一会儿坐在地上往下滑，很好玩儿。

回来以后，虽然很累，但是我们今天玩得非常高兴。

你要是去长城，最好也在下雪的时候去。

补充生词 Supplementary words

1.	干	gān	dry
2.	突然	tūrán	suddenly ; unexpectedly
3.	不到长城	bú dào Chángchéng	if you fail to reach the Great
	非好汉	fēi hǎohàn	Wall you are not a hero
4.	滑	huá	to slip
5.	堆	duī	to pile up
6.	扶	fú	to support with the hand

Lesson 3

第三课	北京的四季

一 课文 Kèwén ● Text ·······················

中国的大部分地区，一年都有春、夏、秋、冬四个季节。

就拿首都北京来说吧，从三月到五月是春季，六月到八月是夏季，九月到十一月是秋季，十二月到第二年的二月是冬季。

春天来了，树绿了，花开了，天气暖和了。人们脱下冬衣，换上春装。姑娘和小伙子们打扮得漂漂亮亮的，他们在湖上划船，在花前照相，公园里充满了年轻人的歌声和笑声。颐和园、北海、香山、长城和十三陵……到处都可以看到来自世界各地的游人。

夏天来了，天气热了。人们常常去游泳。吃完晚饭，工作了一天的人们喜欢到外边散步、聊天儿。马路边、公园里都有散步的人。他

们一边走一边聊，显得愉快而轻松。

北京的冬天比较冷，但是暖气一开，屋子里很暖和。到了冬天，人们喜欢吃"火锅"，一家几口人或三五个朋友，高高兴兴地围坐在火锅旁边，边吃，边喝，边聊，这情景让人羡慕和向往。

北京的冬天不常下雪，但是，要是下了雪，人们就会像过节一样高兴。冬天最美的风光就是雪景了。很多人会带上照相机去外边照相。孩子们一点儿也不怕冷，在雪地上跑啊跳啊，堆雪人，打雪仗，小脸和小手冻得红红的，玩得可高兴了。北京人喜欢雪。瑞雪兆丰年，冬天要是下几场大雪，第二年一定会有好收成。

北京一年中最好的季节要数秋天了。天气不冷也不热，不常下雨，也很少刮风。大街上到处是鲜花，到处是瓜果。每到周末，人们

都喜欢到郊外去玩。那满山的红叶是秋天最美丽的景色。爬香山、看红叶，是北京人最喜爱的活动。

国庆节放假期间，正是北京一年中风景最美的时候。每到国庆节，全国各地很多游人都会利用假期到北京来旅游。要是你能

到天安门广场去看看，就会知道，这个古老的国家如今显得多么年轻，你就会感到，勤劳善良、热爱和平的中国人是多么热情。也许你会爱上这个美丽的城市，爱上这些热情友好的人们。

亲爱的朋友，愿你们在北京、在中国生活得平安快乐。

回答课文问题 Answer the questions according to the text

(1) 北京一年有几个季节？每个季节从几月到几月？你们国家呢？

(2) 北京的春天怎么样？

(3) 北京的夏天怎么样？

(4) 北京的冬天怎么样？

(5) 北京的秋天怎么样？

(6) 你们国家或家乡的四季怎么样？请写出来并说一说。

二　生词 Shēngcí ● New Words ....

1. 部分	（名）	bùfen	part；section；share
2. 地区	（名）	dìqū	large area
3. 脱	（动）	tuō	to take off
4. 冬衣	（名）	dōngyī	winter clothes
5. 春装	（名）	chūnzhuāng	spring clothing
6. 姑娘	（名）	gūniang	girl
7. 湖	（名）	hú	lake
8. 划船		huá chuán	to row a boat
划	（动）	huá	to row
船	（名）	chuán	boat；ship
9. 充满	（动）	chōngmǎn	to cram；to be full of
10. 游人	（名）	yóurén	visitor；sightseer；tourist
11. 显得	（动）	xiǎnde	to look；to seem；to appear
12. 轻松	（形）	qīngsōng	light；relaxed；not feeling nervous
13. 火锅	（名）	huǒguō	hotpot；chafing dish
14. 围	（动）	wéi	to enclose；to surround
15. 向往	（动）	xiàngwǎng	to yearn for；to look forward to
16. 堆雪人		duī xuěrén	snowman；snow piled up in

			the shape of a human being
堆	（动）	duī	to pile up; to stack
17. 打雪仗		dǎ xuězhàng	to have a snowball fight; to throw snowballs at each other
打	（动）	dǎ	to fight; to beat
18. 冻	（动）	dòng	to feel very cold; to be frostbitten; to freeze
19. 瑞雪兆丰年		ruì xuě zhào fēng nián	a timely snow promises a good harvest; a snow year, a rich year
20. 场	（量）	chǎng	(a classifier for a sport match)
21. 收成	（名）	shōucheng	harvest; crop
22. 数	（动）	shǔ	to be reckoned as exceptionally (good or bad, etc.) by comparison
23. 大街	（名）	dàjiē	main street
24. 鲜花	（名）	xiānhuā	fresh flowers
25. 每	（副）	měi	every time
26. 瓜	（名）	guā	melon
27. 果	（名）	guǒ	fruit
28. 郊外	（名）	jiāowài	outskirts; countryside around a city
29. 美丽	（形）	měilì	beautiful
30. 景色	（名）	jǐngsè	scenery; view; scene
31. 国庆节		Guóqìng Jié	National Day
32. 多么	（副）	duōme	what; how; to a great extent
33. 如今	（名）	rújīn	now; today; at present
34. 勤劳	（形）	qínláo	diligent; industrious; hardworking
35. 善良	（形）	shànliáng	good and honest; kind-hearted
36. 热爱	（动）	rè'ài	to love deeply; to like sth. with gusto
37. 友好	（形）	yǒuhǎo	friendly

38. 亲爱	（形）	qīn'ài	dear
39. 愿	（动）	yuàn	to hope；to wish；to like
40. 平安	（形）	píng'ān	safe and sound

专名 Zhuānmíng **Proper Names**

1. 北海	Běihǎi	Beihai Park
2. 香山	Xiāng Shān	Mount Fragrant
3. 十三陵	Shísānlíng	the Ming Tombs

三 词语用法 Cíyǔ yòngfǎ ● Usage ⋯⋯⋯⋯⋯⋯⋯⋯⋯⋯⋯⋯

（一）拿

拿+名词+来+动词。表示从某个方面提出话题。动词只限于"说、看、讲"或者"比、比较、分析"等。例如：

The structure "拿+noun+来+verb" is used to introduce a topic. For verbs we can only use "说，看，讲" or "比，比较，分析" etc.，e. g.

(1) 就拿首都北京来说吧，就和全国大部分地区一样，都有春夏秋冬四个季节。

(2) 汉语的一些语法对于外国学习者是比较难的，拿"了"和"把"字句的用法来说，很多人虽然学了，但是还是不知道怎么用。

(3) 拿人民生活水平来说，提高还是很快的。

（二）动词+下

Ⓐ 表示动作完成并有脱离的意思。例如：

"Verb + 下" indicates the completion of an act，suggesting a sense of "taking off".

off".

    (1) 一到春天人们都脱下冬衣，换上春装。

    (2) 她一进屋就脱下皮鞋，换上拖鞋。

    B 表示人或事物随动作由高处向低处，或离开高处，到达低处。例如：

"下" indicate a movement from high to low in position.

    (3) 请同学们快坐下，我们上课了。

    (4) 她感动得流下了眼泪。

    (5) 我们从这里走下山去吧。

    (6) 他跳下水去把孩子救了上来。

（三）动词 + 上

    A 表示动作有结果，有时有合拢的意思。

This sfracfare indicates an act having a result; sometimes suggesting a sense of "joining together".

    (1) 一到春天，人们都脱下冬衣，换上春装。

    (2) 我把窗户关上，锁上门，咱们就走。

    (3) 刚来时不习惯，一年后她已经爱上了这个地方，不愿意离开了。

    B 表示人或事物随动作从低处到高处，或达到了一定目的。

It may indicate a movement from low to high, or the reaching of a goal.

    (4) 我看见他骑上自行车出去了。

    (5) 他提着书爬上了十层楼。

    (6) 她今年终于考上了大学。

（四）多么 what；how

多用在感叹句中，表示程度很高。

"多么" is usually used in exclamatory sentences to indicate a high degree. The usage is quite similar to that of "多".

(1) 要是你能到天安门广场去看看，就会知道，这个古老的国家如今显得多么年轻。

(2) 你去了就会知道，那里的风景有多么美。

(3) 多么有意思啊！

(4) 能出国学习多么不容易啊！

（五）也许 perhaps; probably; maybe

表示猜测或不很肯定。放在动词、形容词或主语前面作状语。

"也许" indicates conjecture or uncertainty. It is put before a verb, adjective or a subject as an adverbial.

(1) 去了以后，也许你会爱上这个美丽的城市。

(2) 看样子，也许要下雨。还是带上雨伞吧。

(3) 喝了吧，把这些中药喝了，你的病也许就好了。

(4) 到现在他还没来，也许就不来了，我们不要等他了。

(5) 也许你会爱上这个美丽的城市，爱上这些热情友好的人们。

四 练习 Liànxí ● Exercises ··········

1 语音 Phonetics Exercises

(1) 辨音辨调 Pronunciations and tones

部分	bùfen	不分	bù fēn
旅游	lǚyóu	理由	lǐyóu
善良	shànliáng	商量	shāngliang
鲜花	xiānhuā	闲话	xiánhuà
和平	hépíng	合并	hébìng
广场	guǎngchǎng	工厂	gōngchǎng

(2) 朗读　Read out the following idioms

鸟语花香　niǎo yǔ huā xiāng　　烈日高照　liè rì gāo zhào

秋高气爽　qiū gāo qì shuǎng　　万里雪飘　wàn lǐ xuě piāo

2 词语　Read out the following phrases

大部分	一部分	部分地区	部分学校
充满信心	充满希望	充满欢乐	充满感情
显得很轻松	显得很高兴	显得很愉快	显得很失望
向往北京	向往幸福生活	向往美好爱情	向往美好未来
数得上	数不上	数他最高	数玛丽考得好
美丽的姑娘	美丽的地方	美丽的景色	美丽的故事
多么热情	多么美好	多么善良	多么遥远的地方
热爱和平	热爱工作	热爱祖国	热爱人民

3 选词填空　Choose from the following words to fill in the blanks

热爱　向往　脱　多么　数　也许　团圆　划船　冻　充满

(1) 进屋要_____鞋，觉得特麻烦。

(2) 星期天我们去公园_____吧。

(3) 她对自己的未来_____信心。

(4) 那是个让世界各国的人都十分_____的地方。

(5) 我的手已经_____得没有感觉了。

(6) 要说发达国家，中国还_____不上，它只是一个发展中国家。

(7) 没有去过云南的人，你不会知道那是一个_____美丽的地方。

(8) 我们的人民_____和平，希望和世界各国人民友好相处。

(9) 刚去时当然会感到寂寞，会想家。但是，如果你语言通了，再交一些好朋友，_____你就不想回来了。

(10) 中国的春节跟我们的圣诞节一样，也是一个全家_____的节日。

4 完成句子 Complete the sentences

(1) 拿＿＿＿＿＿＿来说吧，刚来中国时，也特别想家。

(2) 不要从早到晚＿＿＿＿＿＿，还要注意锻炼身体。（总是）

(3) 把大衣＿＿＿＿＿＿吧，我给您挂在这里。　　　　（动＋下）

(4) 你是不是＿＿＿＿＿了，要不，为什么常常去找她？（动＋上）

(5) 我弟弟今年＿＿＿＿＿＿北京大学了。　　　　　　（动＋上）

(6) 你不知道，我爸爸妈妈听到这个消息是＿＿＿＿＿。（多么）

(7) 他们个子都很高，＿＿＿＿＿＿麦克。　　　　　（数）

(8) 我们再等他一会吧，＿＿＿＿＿＿。　　　　　　（也许）

5 完成会话 Complete the following dialogues

(1) A：他学习怎么样？

　　B：＿＿＿＿＿＿＿＿＿＿＿。　　　　　　（数）

(2) A：那是个什么样的地方？

　　B：＿＿＿＿＿＿＿＿＿＿＿。　　　　　　（向往）

(3) A：我的电脑不知道为什么，最近总死机。

　　B：＿＿＿＿＿＿＿＿＿＿＿。　　　　　　（也许）

(4) A：你们班这次考试考得怎么样？

　　B：＿＿＿＿＿＿＿＿＿＿＿。　　　　　　（大部分）

(5) A：你现在对这里的生活习惯了吗？

　　B：早习惯了，我＿＿＿＿＿＿＿＿＿＿＿。　（动＋上）

(6) A：这个电影怎么样？你看了吗？

　　B：看了，非常好。很多人＿＿＿＿＿＿＿。　（动＋下）

6 连句成段 Link the following sentences into paragraphs

(1) A. 让你感到既新奇又有点儿担心

   B. 我们这些老外一到北京就会看到很多很多自行车

   C. 那么多的自行车在汽车、电车和行人中间穿来穿去，来来
      往往

   D. 特别是上下班的时候

   _____

(2) A. 而是那些像小甲虫一样满街跑的出租车

   B. 但我要说的是，最吸引我的还不是这些自行车

   C. 因为我下边要讲的这个故事跟这出租车有关系

   D. 虽然那满大街的自行车能把我吓了一跳

   _____

7 改错句 Correct the sentences

(1) 我很喜欢北京，大街上有很多树，很绿色。

   _____

(2) 中国的大街上到处充满了自行车。

   _____

(3) 我把房间干净了。

   _____

(4) 她毛病了，可是她不要去医院打打针。

   _____

(5) 这个星期末你想不想去旅行?

   _____

(6) 我非常热爱我的女朋友。

   _____

8 情景表达　Language and context

　　A. 下面的句子是在什么情景下说的？

　　　　(1) 我们热爱和平。

　　　　(2) 真是瑞雪兆丰年啊！

　　　　(3) 我真羡慕他。

　　B. 下面的情景应该怎么说？

　　　　(1) 和他/她在一个班学习了半年多，非常喜欢他/她。　（爱上）

　　　　(2) 很喜欢一个地方/工作/学校，怎么说？　　　　　　（向往）

9 综合填空　Fill in the blanks

一把雨伞

　　去年秋天的一个星期天，我和爱人带①_____孩子去爬山。刚刚两岁的儿子，玩得很高兴。这时，一阵风刮来，抬头一看，刚才还是蓝蓝的天上，不知什么时候起②_____黑云。很快就开始掉雨点了，我和爱人一下子着急了，从这儿往前，离车站还远，往回走，也要将近一个小时，我们又没带雨伞。③_____越下越大，我抱④_____儿子，不知怎么办好。正在这时，一对年轻人打着一⑤_____雨伞向我们这边走来，看到我们的样子，两人一笑，马上⑥_____伞送给我们，说："孩子小，淋了雨会感冒的。"然后，⑦_____俩说着笑着淋着雨跑远了。

　　雨中的经历使我常想起这两个不知姓名的年轻人，只知道他们在北京工作，但是因为当时没有留下姓名和地址，⑧_____这把雨伞现在还放在我们家里。

第四课	理　想

一　课文 Kèwén ● Text

（一）理　想

　　中学毕业那年，要考什么大学，要学什么专业，我自己也不清楚。一次我和朋友看了一个电影，这个电影是介绍中国文化的，很有意思。我当时就想，学习中文，将来当翻译怎么样？妈妈知道了我的想法，十分赞成，她说，女孩子当翻译很好。就这样，我考上了大学中文系。

　　大学三年级暑假，我第一次来到中国，在北京语言大学学习了四个星期，学完以后，又到中国一些著名的风景区旅行了一个月。这时才知道，自己对中国的了解太少了。

　　因为汉语说得不好，

旅途中遇到了很多困难。但是，每次遇到困难时，都会得到别人的帮助。一次，坐火车去南京。我对南京一点儿也不了解，火车到南京的时间又是晚上，怎么去找旅馆，怎么买去上海的火车票，我都不知道。我看着地图，心里真有点儿着急。

坐在我对面的一个姑娘，好像看出了我的心事，就用英语问我是不是留学生，需要不需要她帮助。她的英语说得很好。我就对她说了自己遇到的困难。她说："别担心，我也是在南京下车，下车以后，你就跟我走吧。"

就这样，我们开始了交谈。她是南京一所大学的学生。她说："要是你愿意，我可以带你到南京的一些风景区去看看。"我说："这样当然好，不过，会不会太麻烦你了？"她说："现在正好是假期，我有空儿，我们可以互相学习，我帮你练汉语，你也帮我练练英语。"

就这样，我交了第一个中国朋友。

在南京玩了三天，这三天里，她简直成了我的导游，带我去了南京很多有名的地方，又帮我买了去上海的火车票。分别的时候，她说，欢迎你再来。我说，肯定会再来的。我一定要把汉语学好，实现自己当翻译的理想。

（二）要见彩虹

最近，我学会了一支中文歌，很好听，也很有意义。里边有一句歌词，让我想了很多很多。这句歌词是：不经历风雨怎么见彩虹，没有人能随随便便成功。

我来中国已经半年了，半年的留学生活让我尝到了以前从没有尝过的酸甜苦辣。有一段时间我常常一个人偷偷地哭，有时哭着哭着就睡着了。在梦中，我梦见了家乡，梦见了家乡的亲人。在梦中我对父母说："你们的傻女儿输了，失败了，对学习、对自己都失去了信心。"

父母来信叫我回国，但是，我想我不能。来中国留学，学习汉语，这是我自己选择的道路。人生的道路上肯定会遇到各种各样的困难，要是一遇到困难就退缩，怎么可能取得成功呢？我决定坚持下去。老师也常鼓励我说：坚持就是胜利。

我的梦想是当一个汉语老师，不学好汉语怎么能当汉语老师呢？

想到这儿，就觉得自己很可笑，都十八岁了，已经不是小孩子了，为什么一遇到困难就哭呢？为什么不能坚强一些呢？

我心中又唱起了这支歌：不经历风雨怎么见彩虹，没有人能随随便便成功。是啊，要成功，就必须付出艰苦的努力。

回答课文问题 Answer the questions according to the text

(1) "我"为什么要学习中文？你呢？

(2) "我"第一次来中国是什么时候？来做什么？

(3) "我"在旅途中遇到了什么困难？是谁帮助了她？

(4) "我"为什么还要来中国？"我"的理想是什么？你呢？

(5) "我"学会了一支什么歌？你听过这支歌吗？

(6) "我"来中国多长时间了？我为什么常常一个人偷偷地哭？你哭过吗？为什么？

(7) "我"为什么要坚持下去？为什么觉得自己很可笑？

1. 理想	（名、形）	lǐxiǎng	imagination or hope for the future; ideal
2. 专业	（名）	zhuānyè	special field of study; specialty
3. 当时	（名）	dāngshí	at that time; then
4. 赞成	（动）	zànchéng	to approve of; to favour; to agree with
5. 孩子	（名）	háizi	child; children; sons and daughters
6. 中文系	（名）	Zhōngwénxì	Department of Chinese language and Literature
系	（名）	xì	department
7. 著名	（形）	zhùmíng	famous; well-known
8. 旅途	（名）	lǚtú	on a journey; during a trip
9. 地图	（名）	dìtú	map
10. 对面	（名）	duìmiàn	opposite; right in front
11. 好像	（动）	hǎoxiàng	as if; look like
12. 心事	（名）	xīnshì	sth. weighting on one's mind; worry
13. 交谈	（动）	jiāotán	to come in contact and talk; to chat
14. 所	（量）	suǒ	(a classifier for house, school, hospital, etc.)
15. 简直	（副）	jiǎnzhí	simply; at all
16. 分别	（动）	fēnbié	to part; to leave; to say goodbye to each other
17. 支	（量）	zhī	(a classifier for songs or musical compositions)
18. 意义	（名）	yìyì	value; effect; meaning
19. 风雨	（名）	fēngyǔ	wind and rain; hardship; difficulties
20. 彩虹	（名）	cǎihóng	rainbow

21. 成功	（动、名）	chénggōng	to succeed; success
22. 从	（副）	cóng	(used before a negative) ever
23. 酸甜苦辣		suān tián kǔ là	sour, sweet, bitter, hot; joys and sorrows of life
24. 段	（量）	duàn	(classifier) duration (of time); distance; paragraph; passage; part
25. 梦	（名）	mèng	dream
26. 梦见	（动）	mèngjiàn	to dream of
27. 亲人	（名）	qīnrén	relative; one's family members
28. 女儿	（名）	nǚ'ér	daughter
29. 失败	（动）	shībài	to fail
30. 失去	（动）	shīqù	to lose; not to have any more; to miss
31. 信心	（名）	xìnxīn	confidence; faith; belief that one's wish or expectation is sure to come true
32. 选择	（动）	xuǎnzé	to choose; to select
33. 道路	（名）	dàolù	road; way
34. 人生	（名）	rénshēng	human existence and life
35. 退缩	（动）	tuìsuō	to shrink back; to hold back
36. 取得	（动）	qǔdé	to get; to gain
37. 鼓励	（动）	gǔlì	to arouse; to encourage
38. 小孩子	（名）	xiǎoháizi	child
39. 梦想	（名、动）	mèngxiǎng	dream; to dream of
40. 可笑	（形）	kěxiào	ridiculous; absurd; funny
41. 坚强	（形）	jiānqiáng	strong; firm
42. 付出	（动）	fùchū	to pay; to expend
43. 艰苦	（形）	jiānkǔ	hard; difficult

专名 Zhuānmíng **Proper Name**

| 南京 | Nánjīng | Nanjing, capital of Jiangsu Province |

三 词语用法 Cíyǔ yòngfǎ Usage ·························

(一) 一点儿 + 也 + 不/没……

"一点儿"表示数量很少，用在"不、没"前边表示完全否定。意思相当于"的确、确实"。"一点儿"和"不、没"之间可以插入"也、都"等。

"一点儿" expresses the limitedness in amount or degree and used before "不", "没" to indicate negation. The meaning is the same as "的确", "确实". "也", "都" may be added between "一点儿" and "不", "没".

(1) 要去的地方是南京，我对南京一点儿也不了解。

(2) 你说的这件事我一点儿也不知道。

(3) 虽然在国内学过汉语，可是刚来时，我一点儿也听不懂中国人说的话。

(二) 不过 but; however

"不过"表示转折。比"但是"的语义轻。放在后半句前边，多用于口语。

Used at the beginning of the latter part of a compound sentence, "不过" indicates a shift in meaning. It is less emphatic than "但是" and is often used in spoken Chinese.

(1) 我说，这样当然好，不过，会不会太麻烦你了。

(2) 房间不大，不过一个人够住了。

(3) 他好像和我在一个班学习过，不过我忘了他叫什么名字。

(4) 这一课的生词比较多，不过都不难。

(三) 简直 simply; at all

"简直"用在动词前面作状语。强调完全是这样或差不多是这样。带有夸张的语气。

"简直" is used before a verb as an adverbial suggesting of an exaggeration in tone.

(1) 这三天里，她简直成了我的导游，带我去了南京有名的地方。

(2) 他说的是什么？我简直一点儿也听不懂。

(3) 她汉语说得简直跟中国人一样，真让人羡慕。

(4) 我当时还小，什么事也不懂，简直是个小傻瓜。

（四）当然　naturally; it goes without saying;

副词"当然"表示肯定，不必怀疑。可以用在动词前，也可以用在主语前。还可以单用或回答问题。"当然……，不过……"表示转折，跟"虽然……但是……"意义相近，但语气比较缓和。

The adverb "当然" indicates affirmativeness and undoubted. It may be used before a verb or a subject. It can be used alone or in reply to a question. "当然…，不过…" indicates a shift; the meaning is close to that of "虽然…但是…", but the tone is relatively mild.

(1) 我说，这样当然好，不过，会不会太麻烦你了？

(2) 能考上大学当然好，但是考不上也不要太难过。

(3) 我读的是中文系，当然希望有机会去中国留学。

(4) A：你也想去桂林旅行吗？

　　B：当然。

（五）从　from the past till the present; always; all long; at all times

"从"就是"从来"。表示从过去到现在都是这样。多用于否定句。

"从" means "it has been like this". Mostly used in negative sentence.

(1) 半年的留学生活让我尝到了以前从没尝过的酸甜苦辣。

(2) 我从（来）不吸烟。

(3) 我以前从没来过中国，这是第一次。

（六）动＋着＋动＋着……

"动词＋着"重叠使用，表示一个动作正在进行时，另一个动作接着发生。

The structure of "V + 着 + V + 着" is used to indicate that an act occurs while the other is in progress.

(1) 有一段时间我常常一个人偷偷地哭，有时哭着哭着就睡着了。

(2) 她说着说着突然笑了起来。

(3) 晚上睡得太晚，早上起得早，上课的时候，常常听着听着就困了。

四 练习 Liànxí ● Exercises ··

1 语音 Phonetics Exercises

(1) 辨音辨调 Pronunciations and tones

专业	zhuānyè	转业	zhuǎn yè
著名	zhùmíng	出名	chūmíng
心事	xīnshì	新诗	xīnshī
当然	dāngrán	坦然	tǎnrán
简直	jiǎnzhí	兼职	jiānzhí
人生	rénshēng	人参	rénshēn
可能	kěnéng	核能	hénéng
鼓励	gǔlì	孤立	gūlì

(2) 朗读 Read out the following poems

书到用时方恨少，　Shū dào yòng shí fāng hèn shǎo,
事非经过不知难。　Shì fēi jīngguò bù zhī nán.

不到长城非好汉。　Bú dào Chángchéng fēi hǎohàn.

少壮不努力，　Shào zhuàng bù nǔlì,
老大徒伤悲。　Lǎo dà tú shāng bēi.

2 词语 Read out the following phrases

美好理想　　理想的专业　　理想的工作　　理想的家庭

著名的风景区　　著名的大学　　　著名的科学家　　著名的教授
做了一个梦　　　梦见了我的家　　梦想当翻译　　　祝你梦想成真
选择朋友　　　　选择专业　　　　选择人生道路　　选择理想工作

3 选词填空　Choose from the following words to fill in the blanks

酸甜苦辣　付出　赞成　信心　简直　失败　心事　经历　意义
不过　分别　著名　理想　当然

(1) 上大学，学汉语，当翻译，一直是我的＿＿＿＿。

(2) 妈妈不太＿＿＿＿我来中国留学。

(3) 老师让我说出五个＿＿＿＿的中国人，但是，我想了半天也没有说出来。

(4) 我看她最近好像有什么＿＿＿＿。

(5) 因为是好朋友，他遇到了困难我＿＿＿＿要帮助他。

(6) 这件羽绒服样子不太好看，＿＿＿＿穿着挺暖和。

(7) 我＿＿＿＿不相信他能干出这种事。

(8) 这是在机场＿＿＿＿时女朋友送给我的。

(9) 对我来说，学习汉语的＿＿＿＿就是选择了一条人生的道路。将来我要用汉语工作，就是说，把自己与中国联系在一起。

(10) 这半年来，我尝够了人生的＿＿＿＿。但是，我觉得自己也在长大。

(11) 人们常说，＿＿＿＿是成功之母，所以，要想成功就不要怕失败，失败了再来。

(12) 我很喜欢这支歌，不＿＿＿＿风雨怎能见彩虹，没有人能随随便便成功。说得多好！

(13) 遇到困难时，不要失去＿＿＿＿，要鼓励自己，坚持下去。坚持就是胜利。

(14) 不＿＿＿＿艰苦的努力，要想取得成功是不可能的。

4 完成句子 Complete the following sentences

(1) 说实话，能不能实现自己的理想，我_____

_____。 （一点儿……＋也没……）

(2) 来中国以前，我_____

_____。 （一点儿……＋也不……）

(3) 这件衣服贵是贵了点儿，_____。（不过）

(4) 这一课的课文虽然有点儿长，_____。（不过）

(5) 这幅画画得太好了，画上的鱼_____。（简直）

(6) 你啊，_____。 （简直）

(7) 我又累又困，_____。 （看着看着/听着听着）

(8) 你能帮助我_____，不过我还是想自己把
它干成。 （当然）

5 完成会话 Complete the following dialogues

(1) A：汉语最难学的不是语法，是词语的用法。

B：当然。_____。 （不过）

(2) A：要是大家都去，你去不去？

B：_____。 （当然）

(3) A：这种颜色的你喜欢吗？

B：_____。 （一点儿……也＋不……）

(4) A：昨天晚上我做了一个梦。

B：_____？ （梦见）

(5) A：喝杯酒吧。

B：谢谢！不过，我_____。（从＋不）

(6) A：刚才广播里说什么？

B：她说得太快，我_____。（简直）

6 连句成段 Link the sentences into paragraphs

(1) A. 同时我还交了很多好朋友

   B. 在中国呆了一年多了, 语言慢慢不再成为生活中的问题

   C. 他们对我非常关心

   D. 让我时时感到像在家一样的温暖

   _____

(2) A. 一个人生活也太孤单, 没有依靠, 如果出了问题, 也没有
      人来帮助和安慰你

   B. 男女双方只有结了婚, 才可以合理地去养育他们的后代

   C. 结婚是人类养育后代的一种合法的形式

   D. 因此, 我认为自己应该结婚

   E. 不结婚只同居方便是方便, 但总让人感觉到双方都不愿意
      负责任

   _____

7 改错句 Correct the sentences

(1) 听了她的话, 我心里很热乎乎。

   _____

(2) 这是很当然的事, 各国人都会这样。

   _____

(3) 我昨天晚上做了一个梦, 梦了我的朋友。

   _____

(4) 我分别朋友的时候, 心里很难过。

   _____

（5）我不愿意太给你麻烦。

_____

（6）他用照相机把我吃饭的样子拍照了下来。

_____

8 情景表达　Language and context

A. 下列句子什么情况下说？

　　（1）想到这儿，就觉得自己很可笑。

　　（2）他已经失去了信心。

　　（3）这时，我心里真有点儿着急。

_____

B. 下列情况说什么？

　　（1）朋友失去信心的时候，怎么鼓励他？

　　（2）看到朋友哭的时候，你怎么说？

_____

9 综合填空　Fill in the blanks

钥匙链

　　在国外的最后几天，因为口袋里还剩下一些钱，就想把它全花
①_____，给可爱的女儿买件礼物带②_____去。正好那天
我们去海洋世界游玩，我终于找到了想买的东西。

　　那是一个小小的钥匙链儿，③_____有一只胖胖的企鹅，样
子十分可爱，看起来还带异国风情。既然到了异国他乡，当然要买带
有异国色彩的礼物。我挑④_____半天，一下子买了七八个。回
到宾馆，朋友们见我买的钥匙链，⑤_____说好，还问我在哪儿

买的，他们也想去买一些回去送人。

回到家，我急不可待地把礼物拿出来给女儿看，并告诉她这些都是澳洲的特产，我为了买这些礼物是多么辛苦，澳洲的艺术品又是多么的好，女儿高兴⑥_____接过去，反复地看着，看样子也很喜欢。忽然她叫了一声："妈，你快来看，这里写的是什么？"我过去仔细一看，上面一行小字清楚地写⑦_____："Made in China"。啊！⑧_____是中国制造的。女儿哈哈笑了起来，指着我说："我的老妈呀，你可真聪明啊！"

补充生词 Supplementary words

1.	链	liàn	chain
2.	企鹅	qǐ'é	penguin
3.	异国他乡	yì guó tā xiāng	alien land
4.	挑	tiāo	to choose
5.	特产	tèchǎn	special local product
6.	急不可待	jí bù kě dài	too impatient to wait
7.	仔细	zǐxì	careful

第五课	回头再说

一 课文 Kèwén ● Text

我刚到北京时，听过一个相声，说北京人的口头语是"吃了吗"。后来我发现，其实，北京人最爱说的一句话是"回头再说"。

我在香港坐上中国民航的飞机，邻座的一个人用地道的英语问我："是去北京工作吗？""不，去留学！"我回答。他是个中国人。我们就这样愉快地聊了一路。临下飞机，他还给了我一张名片，邀请我有空儿到他家去玩。

到北京后的第二个周末，我给飞机上认识的这位先生打电话。他在电话里热情地说："有时间来家里玩吧。"我马上高兴起来，说："太好了，我什么时候去？"他停了一会儿说："这一段工作太忙，回头再说吧。"可是，几乎每次打电话，他都说欢迎我去他家，同时又带上一句"回头再说"。

我开始想，不是说有空儿就让我去吗，怎么会这样不实在？在三次"回头再说"之后，我终于去了他家。他和太太都十分热情，买菜做饭，准备了满满一桌的酒菜让我吃了个够。临了，他还送我好多书。我粗粗一看价钱，要五百多块钱呢，就说："你给我这么贵的书，我一定要付钱。"他平淡地说："这些书都是你用得着的，至于钱，回头再说吧。"之后我多次提起给他书钱的事，他都说："回头再说吧。"

在北京的日子里，我经常听到"回头再说"这句话。它让我感到的不只是客气的推辞，更多的是温暖的等待。

那天，我在建国门上了地铁。这是我来中国后第一次坐地铁，以前从来没有坐过中国的地铁。车上人很多，下了地铁，上到地面时，我才发现那不是我要去的地方，因为没有找到熟悉的375路汽车站。正在我左顾右盼的时候，身后有两个小伙子主动跟我打招呼，我没有理他们。过了一会儿，他们看我还站在那里，就问我要去哪儿。我向他们打听去375路车站怎么走。他们说，375路车站在西直门，而这儿是复兴门，离西直门还远着呢。当他们知道我要回学校时，就说："上车吧，我们正好要去颐和园方向，可以带你一段。"我犹豫了一下才上了他们的车。一路上我没有说话，因为我不想多跟不认识的人打交道。到了学校门口我下了车，掏出钱来要给他们的时候，两个小伙子笑着说："我们又不是出租车，只是顺路送送你，怎么能要钱呢？"听了他们的话，我心里一热，忙向他们表示感谢，问他们叫什么名字，住在哪儿，可是他们已经把车发动起来，对我招招手说："没准儿以后我们还会见面呢，回头再说吧。"说着就把车开走了。我愣在那里不知道说什么好。至今我也没有再见过这两个热情友好的小伙子。

我还要在北京学习和生活很久，和中国人打交道的日子还长着呢，可能还会遇到更多有意思的事，咱们也回头再说吧。

（根据《北京晚报》高子整理的文章改写）

回答课文问题　Answer the questions according to the text

（1）作者是怎么认识第一个北京人的？

（2）这个北京人的口头语是什么？

（3）作者为什么打了三次电话才被邀请去他家？

（4）他送给作者了什么东西？

（5）作者第一次坐地铁的时候，他要在哪儿换车？

（6）后来他怎么到了要去的地方？

（7）作者坐车的时候为什么没说话？

（8）说说你在中国遇到的愉快或不愉快的故事。

二　生词 Shēngcí ● New Words ·····················

1. 回头	（副）	huítóu	after a while；a moment later
2. 再说	（动）	zàishuō	to talk about sth. later；not to deal with sth. till some time later
3. 口头语	（名）	kǒutóuyǔ	pet phrase
4. 其实	（副）	qíshí	actually；in fact
5. 民航	（名）	mínháng	civil aviation
6. 邻座	（名）	línzuò	an adjacent seat
7. 地道	（形）	dìdao	pure；real；up to standard
8. 回答	（动）	huídá	to answer；to reply
9. 名片	（名）	míngpiàn	name card
10. 几乎	（副）	jīhū	all but；almost；close to
11. 同时	（名）	tóngshí	at the same time；moreover；besides
12. 实在	（形、副）	shízài	sincere；real；really
13. 太太	（名）	tàitai	wife
14. 之后	（名）	zhīhòu	after that；afterwards
15. 临了	（副）	línliǎo	finally

16. 粗	（形）	cū	roughly
17. 价钱	（名）	jiàqian	price
18. 付	（动）	fù	to pay
19. 平淡	（形）	píngdàn	flat; insipid
20. 至于	（介、动）	zhìyú	as for; (go) so far as to
21. 推辞	（动）	tuīcí	to refuse; to turn down; to decline (an appointment, invitation, present, etc.)
22. 温暖	（形）	wēnnuǎn	warm
23. 等待	（动）	děngdài	to wait; to expect
24. 地面	（名）	dìmiàn	ground
25. 熟悉	（形）	shúxī	familiar
26. 路	（名）	lù	line; route
27. 左顾右盼		zuǒ gù yòu pàn	to glance right and left; to look around
28. 主动	（形）	zhǔdòng	initiative; act without outside impetus
29. 打招呼		dǎ zhāohu	to greet sb.; to say hello
30. 理	（动）	lǐ	(usu. used in the negative) to pay attention to; to make speak to
31. 犹豫	（形）	yóuyù	hesitant
32. 打交道		dǎ jiāodao	to come into (or make) contact with; to have dealings with
33. 顺路		shùn lù	on the way
34. 发动	（动）	fādòng	to start; to ignite
35. 招手		zhāo shǒu	to wave one's hand
36. 没准儿	（动）	méizhǔnr	who knows; probably
37. 见面		jiàn miàn	to meet; to see
38. 愣	（动）	lèng	to be dumbfounded; to dazed
39. 至今	（副）	zhìjīn	up to now; until now; to this day

40. 日子　（名）　rìzi　life；livelihood；number of days；date

专名　Zhuānmíng　**Proper Names**

1. 中国民航　Zhōngguó Mínháng　CAAC（Civil Aviation Administration of China）
2. 西直门　Xīzhímén　Xizhimen, a place in Beijing
3. 复兴门　Fùxīngmén　Fuxingmen, a place in Beijing

三 注释 Zhùshì ● Notes ········

（一）临了，他还送我好多书　Upon leaving, he gave me a lot of books.

"了"读作：liǎo。结束。"临了"表示结束的时候。

"了" is pronounced as "liǎo", meaning "the end". "临了" means "finally" or " before something finally ends".

（二）我多次提起给他书钱的事

I mentioned several times to give him the payment for the books.

"提起"是"谈到"、"说到"的意思。

"提起" means to mention.

一提起这件事我就生气。

（三）正在我左顾右盼的时候

As I was looking around, two lads came from behind and greeted me.

"左顾右盼"：向左右或周围看。

"左顾右盼"：look around, glance right and left

四 词语用法 Cíyǔ yòngfǎ ● Usage ········

（一）再说　talk it over（later）

表示等到有时间、有条件、有机会时再考虑或办理。有时表示对他人的要

· 56 ·

求委婉地拒绝或推托。

"再说" is used to suggest that something be considered or handled until the time or condition allows, or until the opportunity is right. Sometimes it implies an indirect refusal to requests, e. g.

(1) 其实，北京人最爱说的一句话是"回头再说"。

(2) 这件事以后再说吧。

(3) A：你不是想买一套《汉语大词典》吗？

B：我今天没有带钱，以后再说吧。

(4) A：我们明天去颐和园吧。

B：明天我还有别的事，以后有空儿再说吧。

（二）**其实** actually；in fact

表示所说的情况是真实的，有更正，解释或补充上文的作用。用在动词或主语前边。

"其实" indicates that what is to be said is true. It functions to rectify, explain or complement a stated fact or an assumption. It is used before a verb or subject, e. g.

(1) 他普通话说得很好，大家都以为他是北京人，其实他是上海人。

(2) 看她的样子只有三十多岁，其实她都四十多了。

(3) 其实早上你不用叫他，他自己能醒。

（三）**实在** sincere；honest；really；indeed

Ⓐ 诚实，不虚假 honest, unfeigned

(1) 我开始想，不是说有空儿就让我去吗？怎么会这样不实在？

(2) 跟这个小伙子没交谈几句，就觉得他挺实在。

(3) 如果没有实实在在的本领，你就很难在比赛中取胜。

B. 的确，真的　indeed, really

(4) 要把汉语说得跟中国人一样好，实在不容易。

(5) 这件事你去问她自己吧，我实在不知道。

(6) 我实在不能再喝了，已经喝了不少了。

（四）用得着　find sth. useful

需要，有用。否定式"用不着"，表示不需要，不用。

"用得着" means "in　need of " or "useful". Its negative form is "用不着", which means "not　in need of ", "need not" or "find it not useful", e. g.

(1) 他平淡地说："这些书都是你用得着的，至于钱，以后再说吧。"

(2) 这台电脑我已经用不着了，如果你用得着的话就送给你吧。

(3) 家里太乱了，用不着的东西就卖了吧。

(4) 有什么意见你就好好说，用不着生这么大气。

（五）至于　up to now; until now; to this day

用在句子或分句开头，引进另一话题。"至于"后边的名词、动词等就是话题。

"至于" is used at the beginning of a sentence or a clause to bring in another topic. The verbs, nouns, etc. that follow "至于" are the new topics.

(1) 他平淡地说："这些书都是你用得着的，至于钱，以后再说吧。"

(2) 我知道这是四川菜，至于怎么做的，我就不知道了。

(3) 这只是我的一点儿意见，至于你们接受不接受，那我就不管了。

(4) 听说她病了，至于什么病，可能玛丽清楚，你去问问玛丽吧。

五 练习 Liànxí ● Exercises ·············

1 语音　Phonetics Exercises

（1）辨音辨调　Pronunciations and tones

其实	qíshí	启事	qǐshì
民航	mínháng	迷航	míháng
招手	zhāo shǒu	招收	zhāoshōu
地道	dìdao	地道	dìdào
熟悉	shúxī	梳洗	shūxǐ
犹豫	yóuyù	由于	yóuyú
地面	dìmiàn	体面	tǐmiàn
打听	dǎting	大厅	dàtīng

（2）朗读　Read out the following idioms

入乡随俗	rù xiāng suí sú
事在人为	shì zài rén wéi
拳不离手	quán bù lí shǒu
曲不离口	qǔ bù lí kǒu
熟能生巧	shú néng shēng qiǎo
勤能补拙	qín néng bǔ zhuó

2 词语　Read out the following phrases

邀请朋友	邀请客人	热情邀请	受到邀请
说得平淡	生活平淡	平淡地说	过得很平淡
发现问题	发现错误	发现变化	发现新事物
准备考试	准备午饭	准备出发	没有准备
跟他打交道	好打交道	不好打交道	常打交道

3 选词填空 Choose from the following words to fill in the blanks

A. 打交道　地道　没准儿　实在　再说　打招呼　至于　犹豫
　　不仅仅　其实

(1) 今天没有时间了，我们明天_____吧。

(2) 你看他像中国人，_____他是日本人。

(3) 她汉语说得真_____。

(4) 我_____想不起来把钥匙放在什么地方了。

(5) 我听说他要去台湾开会，_____什么时候去我就不知道了。

(6) 我已经努力了，_____能不能毕业，就很难说了。

(7) 中国人_____的方法很多，像"你去哪儿了？"、
　　"你吃了吗？"等都是。

(8) 这件事你不能再_____了，应该决定了。

(9) 你把你的地址告诉我，_____我还有机会去你们国家旅
　　行呢。

(10) 她现在不来，_____今天就不来了。

(11) 学习汉语_____是学习语言，还要了解中国的社会和
　　文化。

(12) 学了汉语，以后跟中国人_____就方便多了。

B.

(1) 我早就_____去书市买书比较便宜，所以今天我一定要去
　　书市逛逛。　　　　　　　　　　　　　　　　　（听说　打听）

(2) _____他不在这个公司了，你能不能帮我_____一下，
　　他到哪个公司去了。　　　　　　　　　　　　　（听说　打听）

(3) 她从小在北京长大，汉语说得很_____，开始时我还以为
　　她是中国人呢。　　　　　　　　　　　　　　　（地道　流利）

· 60 ·

(4) 她这人说话＿＿＿＿＿＿＿＿＿＿，你不要听她的。

（没准儿 不一定）

(5) 今天的晚上，他＿＿＿＿＿＿＿参加得了，我们不要等他了。

（没准儿 不一定）

(6) 都快九点了，又下这么大雨，今天＿＿＿＿＿＿她不来了。

（没准儿 不一定）

4 完成句子 Complete the following sentences

(1) 爬到这儿，我已经很累了，他们还要往上爬，＿＿＿＿＿＿＿＿

＿＿＿＿＿＿＿＿＿＿＿＿＿＿。 （实在）

(2) ＿＿＿＿＿＿＿＿＿＿＿＿＿＿，我愿意跟她交朋友。 （实在）

(3) 她告诉我下个月要来中国，＿＿＿＿＿＿＿＿＿＿。（至于）

(4) 我听说过这本书，＿＿＿＿＿＿＿＿＿＿＿＿。（至于）

(5) 我的作业还没有做完呢，晚上看不看电影，＿＿＿＿＿＿＿

＿＿＿＿＿＿＿＿＿＿＿＿。 （犹豫）

(6) 我最后一次去上海还是两年前，以后＿＿＿＿＿＿。（再也）

(7) 虽然她说要买，＿＿＿＿＿＿＿＿＿＿＿＿＿。（其实）

(8) 从那次跟他见面以后，＿＿＿＿＿＿＿＿＿＿＿。（至今）

5 完成会话 Complete the following dialogues

(1) A：好久没去爬山了，这个星期日咱们去爬山，好吗？

B：这个星期日我实在没时间，＿＿＿＿＿＿。 （回头）

(2) A：给你买邮票的钱。

B：我这儿有钱，＿＿＿＿＿＿＿＿＿＿。 （回头）

(3) A：他长得真像外国人。

B：_____。　　（其实）

（4）A：你觉得他这个人怎么样？

　　　B：我觉得_____。　　（实在）

（5）A：都快八点了，他怎么还不来呢？

　　　B：_____。　　（没准儿）

（6）A：你说我去不去留学呢？

　　　B：这是多好的机会呀，_____。　　（犹豫）

6 连句成段　Link the sentences into paragraphs

（1）A. 可能是因为那里从来没有去过外国人吧

　　　B. 一天我跟一个中国朋友去了他的家乡——一个小山村

　　　C. 所以我一到，很多人就都围着我看

　　　D. 走到路上，常常听到孩子们叫："外国人，外国人！"

　　　E. 我想这是因为我的头发太黄，眼睛太蓝，跟他们长得不一样，所以他们感到奇怪

　　　_____

（2）A. 我也是名胜古迹，不能免费参观，如果你们要看我，就快来买票

　　　B. 他们一听都哈哈大笑起来

　　　C. 中国人15块，外国人10块

　　　D. 看那么多人跟着我，我就站住了，对他们说

　　　E. 看到他们笑得那么开心，我觉得这些孩子非常可爱

　　　_____

7 改错句　Correct the sentences

（1）中国人常常打招呼我"你去哪儿了？"

(2) 他们家有四口人，他和妻子，两个女儿子。

_____

(3) 我打交道了一个中国同学，她是个美丽的姑娘。

_____

(4) 他们招手我，但是我不想理他们。

_____

(5) 今天天气不好，你要穿多衣服，不至于感冒。

_____

(6) 我至今没把香港去过。

_____

8 情景表达　Language and context

A. 下面的句子可能在什么时候说？

(1) 我们愉快地聊了一路。

(2) 有空儿来家里玩吧。

(3) 最近太忙，回头再说吧。

B. 下面的情况怎么说？

(1) 朋友邀请你去他家，可是你正好有事，又不能决定什么时候去。你怎么对他说？　　　　　　　（至于）

(2) 朋友问你暑假后还要不要继续在中国学习，你现在还决定不了。　　　　　　　　　　　　　　　（犹豫）

(3) 你要回国了，有些东西不需要了，你想把它们送朋友，你怎么对朋友说？　　　　　　　　　　（用不着）

占座位

　　我是去年九月到这个大学学习的。以前曾在另一个学校学过一年汉语。刚来中国时我只是想看看，玩玩儿，没想好好学，对自己没有什么要求，常常不上课，跟朋友一起到外边去逛。来到这个学校以后，才发现过去的一年真是白过了，学到的东西太少了，汉语水平一点儿也没有提高。而且，我从来没去过学校的图书馆。

　　这一天，因为要准备考试，宿舍楼里不太安静，我只好去图书馆复习。到阅览室一看，一个空座位也没有，所有的座位都已经有人了。这时一个中国同学让我坐他的位子，我觉得很不好意思。他还告诉我，要想在这儿看书① ＿＿＿＿＿＿＿应该早点儿来。

　　第二天上午我没有课，所以吃了早饭就又到图书馆去了，心想这次一定能找到一个好座位。② ＿＿＿＿＿＿＿进去以后，还是没有空座位，因为中国同学去得比我早得多。

　　第三天，我一吃完早饭，就急急忙忙往图书馆跑去，远远看到一群人站在图书馆门口等着开门。天啊！这么早就来了这么多人。

　　大门一开，人们就都往里走，③ ＿＿＿＿＿＿＿也随着人流挤了进去，还好，这次我得到了一个座位。坐在座位上，我想了好久，中国同学的学习热情怎么这么高？他们为什么这么努力呢？

　　后来，我认识④ ＿＿＿＿＿＿＿一个中国同学。看到她星期天也不休息，就问她，你们为什么这么努力呢？⑤ ＿＿＿＿＿＿＿看了我一眼，觉得我问的问题很奇怪，不过她还是回答了我的问题，而且很认真。她说："在中国考大学很不容易，很多同学因为少一分就进不了大学的门，所以，我们大学生总是感到身上有很重的责任。要说为什么，我可以告诉你，一是为了我们国家的富强，⑥ ＿＿＿＿＿＿＿是为了我自己的未来。"

我明白了。我想我应该⑦_____他们学习。从此以后，我差不多每天都来图书馆和中国同学一起学习。在拥挤的人群中，我学会了珍惜时间，⑧_____学到了很多书本上没有的东西。

补充生词　Supplementary words

1.	占	zhàn	to take；to occupy
2.	白	bái	for nothing
3.	热情	rèqín	warm-hearted
4.	奇怪	qíguài	strange
5.	责任	zérèn	duty；reponsibility
6.	富强	fùqiáng	prosperous and strong
7.	未来	wèilái	future
8.	拥挤	yōngjǐ	crowded
9.	珍惜	zhēnxī	to value

Lesson 6

第六课	吃葡萄

一 课文 Kèwén ● Text

　　我家院子里有一棵葡萄树，几年来一直半死不活的。不料，去年竟然长出了许多叶子，还结了许多葡萄。当秋天到来的时候，那一串串紫红色的葡萄，看了真让人高兴。摘下来一尝，特别甜，就想送一些给别人尝尝，让大家也分享一下我收获的喜悦。

　　我把葡萄送给一个做生意的朋友。他接过去，用两个手指捏了一颗送进嘴里，说，好吃，好吃，接着就问："多少钱一斤？"我说不要钱，只是想请他尝尝。他不愿意，说不能白吃，坚持要付钱。没办法，我只好收下了他的钱。

我把葡萄送给一位领导。他接过我的葡萄后一直注视着我，然后低声问："你有什么事要办吗？"我告诉他，我没有什么事，只是想让他尝尝这棵老树结的新葡萄。他吃了我的葡萄，但是从他脸上的表情看得出来，他并不相信我的话。

我把葡萄送给漂亮的女邻居。她感到有些意外，她的丈夫更是一脸的警惕。我很尴尬，忙说这是从自己家的葡萄树上摘下来的，很甜，很好吃，想请大家尝尝。那男的像吃毒药一样吃了一颗。没想到，那天晚上他们家就传来了吵架声。

我把葡萄送给隔壁的一个小孩儿。他吃了还想再吃，脸上露出甜甜的笑，嘴里也甜甜地说着："这种葡萄好甜啊，谢谢叔叔。"然后一蹦一跳地把葡萄拿走了。

我很高兴，我终于找到了一个人，一个真正吃葡萄的人。

（根据《文汇报》王建光的文章改写）

回答课文问题 Answer the questions according to the text

（1）作者为什么要把葡萄送给别人吃？

（2）作者送的第一个是什么人？他是什么态度？

（3）作者送的第二个是什么人？他为什么问"你有什么事要办吗？"

（4）作者送的第三个是什么人？他们为什么吵架？

（5）作者送的第四个是什么人？他是什么态度？

二 生词 Shēngcí ● New Words ·················

1. 葡萄　　（名）　pútao　　　grape

2. 来　　　（助）　lái　　　　up to the present

3. 半死不活		bàn sǐ bù huó	half-dead
4. 不料	（连）	búliào	unexpectedly；to one's surprise
5. 竟然	（副）	jìngrán	unexpectedly；to one's surprise
6. 许多	（数）	xǔduō	many
7. 叶子	（名）	yèzi	leaf
8. 当	（介）	dāng	just at（a time or place）
9. 熟	（形）	shú	ripe
10. 串	（量）	chuàn	（a classifier for a string of things） string；bunch
11. 紫	（形）	zǐ	purple
12. 摘	（动）	zhāi	to pick
13. 分享	（动）	fēnxiǎng	to share
14. 收获	（名、动）	shōuhuò	harvest；to harvest
15. 喜悦	（形）	xǐyuè	joyous；happy
16. 生意	（名）	shēngyi	business
17. 手指	（名）	shǒuzhǐ	finger
18. 捏	（动）	niē	to hold between the finger and thumb；to pinch
19. 嘴	（名）	zuǐ	mouth
20. 白	（副）	bái	free of charge；in vain；to no purpose；for nothing
21. 注视	（动）	zhùshì	to gaze at
22. 低声	（副）	dīshēng	in a low voice
低	（形）	dī	low
23. 表情	（名）	biǎoqíng	feelings expressed by facial expression or posture；expression
24. 并	（副、连）	bìng	（used before a negative to reinforce it）actually；definitely；and；besides

25.	邻居	（名）	línjū	neighbour
26.	意外	（形、名）	yìwài	unexpected，unforeseen；accident
27.	丈夫	（名）	zhàngfu	husband
28.	警惕	（动）	jǐngtì	to be on guard against
29.	尴尬	（形）	gāngà	（of expression）unnatural；embarrassed
30.	毒药	（名）	dúyào	poison
31.	颗	（量）	kē	（a classifier for small and round things）
32.	传	（动）	chuán	to convey；to spread
33.	吵架		chǎo jià	to quarrel
34.	隔壁	（名）	gébì	neighbor；next door
35.	露	（动）	lù	to show
36.	蹦	（动）	bèng	to leap
37.	跳	（动）	tiào	to jump
38.	真正	（形）	zhēnzhèng	real；genuine

三 注释 Zhùshì ● Notes

（一）几年来一直半死不活的

"半……不……"常含有不满，不喜欢的意思。

This structure is used to express dissatisfaction or dislike.

半懂不懂：only understand half

半新不旧：no longer new

半生不熟：only half cooked

（二）一脸的警惕　a face of alert

汉语的有些名词可以临时被借用来作名量词，后边可以加"的"。

Some Chinese nouns may be borrowed as noun-classifier, with "的" added after them, e. g.

一脸汗、一手土、一桌子菜、一屋子烟

"一"有"满"的意思。"一脸的警惕"描写一个人警惕的表情，是幽默的说法。

"一" connotes "full of". "一脸的警惕" describes the watchful facial expression. It is used humorously here.

（三）这种葡萄好甜啊　These grapes are really sweet.

好。副词。表示程度深，有感叹的语气。例如：

好 is an adverb here, giving force to sweetness of the grapes and having an exclamatory tone.

好大啊！好高啊！好热闹啊！

四　语法 Yǔfǎ ● Grammar ·············

（一）不料　unexpectedly; to one's surprise

没想到。用在后半句的开头，表示转折。

"不料" means "unexpectedly". It is used at the beginning of the latter part of a compound sentence to indicate a turn in meaning.

(1) 我家院子里有一棵葡萄树，几年来一直半死不活的，不料去年竟然长出了许多树叶，还结了许多葡萄。

(2) 我想她不愿意跟我一起去，不料她说很高兴和我一起去。

(3) 他原来说有事不能来参加晚会了，不料今天他早早地就来了。

(4) 已经是春天了，不料竟下起雪来了。

（二）一＋动词

表示经过某一短暂的动作就得出某种结果或结论。

"— + Verb" indicates that an outcome results or a conclusion is drawn through a quick act, e. g.

(1) 我一尝，特别甜。

(2) 他一说，我们都笑了。

(3) 我回头一看，她的车已经开过来了。

（三）竟然 unexpectedly; to one's surprise

意外，没想到（出现这样的情况或结果）。有时也说"竟"。

"竟然" means "to one's surprise" or "never imagined (such a circumstance or result)". It is sometimes shortened to "竟".

Ⓐ 竟然 + 动词

(1) 我家院子里有一棵葡萄树，几年来一直半死不活的，不料去年竟然长出了许多叶子，还结了许多葡萄。

(2) 他工作太忙了，竟然把妻子的生日都忘了。

(3) 没想到，昨天竟然在地铁里遇到了中学的同学。

(4) 电视里说，已进入初夏的长江地区竟然下了一场雪。

Ⓑ 竟然 + 形容词

(5) 没想到这次考试题竟然这么简单。

(6) 这种树还能开花，而且开的花竟然这么漂亮。

（四）只是 only; just; merely; nothing but

(1) 我没有什么事，只是想让你尝尝这棵老树结的新葡萄。

(2) 我只是问问你，没有别的意思。

(3) 我只是认识她，对她并不了解。

（五）并 actually; definitely

用在否定词前边，强调否定，有反驳的语气。

"并" is used before a negation word to make an emphasis indicating a tone of refutation, e. g.

（1）从脸上的表情看得出，他并不相信我的话。

（2）你说他笨，其实他并不笨。

（3）你说她回国了，其实她并没有回国，是去旅行了。

（4）我并没有对他说过这件事，不知道他是怎么知道的。

（六）一……一……

分别用在同类动词的前面，表示动作是连续的。例如：

"一…一…" takes two verbs of the same type to indicate the continuity of the acts, e. g.

一蹦一跳、一走一拐

分别用在相对的动词前面表示动作交替进行。例如：

It takes two verbs opposite in meaning to indicate the alternation of the two acts, e. g.

一问一答

分别用在两个同类名词前面，表示整个，或数量少。例如：

It can also take two nouns of the same type to emphasize the wholeness or limitedness in number, e. g.

一心一意、一针一线、一草一木、一言一行、一举一动

五 练习 Liànxí ● Exercises ·················

1 语音 Phonetics Exercises

（1）辨音辨调 Pronunciations and tones

葡萄	pútao	辅导	fǔdǎo
生意	shēngyi	生疑	shēngyí

收获　　shōuhuò　　　　　售货　　shòuhuò

意外　　yìwài　　　　　　以外　　yǐwài

真正　　zhēnzhèng　　　　真诚　　zhēnchéng

（2）朗读　Read out the following phrases

不经一事，不长一智。　Bù jīng yí shì, bù zhǎng yí zhì.

不比不知道，一比吓一跳。　Bù bǐ bù zhīdào, yì bǐ xià yí tiào.

无求到处人情好，　Wú qiú dào chù rén qíng hǎo,

不饮随它酒价高。　Bù yǐn suí tā jiǔ jià gāo.

2 词语　Read out the following phrases

一脸警惕　　　　　一脸汗　　　　　　一身汗

真正的朋友　　　　真正的友谊　　　　真正好吃

有些意外　　　　　有些迟疑　　　　　有些尴尬

分享收获的喜悦　　分享胜利的喜悦　　分享成功的喜悦

树上结了许多葡萄　树上结了很多苹果　树上结了很多枣

3 选词填空　Choose from the following words to fill in the blanks

高兴　许多　意外　不料　尴尬　真正　注视　传　分享　竟然
半死不活

（1）我不会养花，我家的花都让我弄得半死不活的。

（2）我们出门时天气还很好，不料走到半路突然下起雨来了。

（3）他刚学了半年，竟然能说得这么好。

（4）来中国后我交了许多朋友。

（5）我愿意和朋友分享快乐。

（6）拿到毕业证时，我的心里有说不出的高兴。

(7) 这件事让我感到很<u>意外</u>。

(8) 他的表情很<u>尴尬</u>。

(9) 他们两个是<u>真正</u>的朋友。

(10) 这个消息是怎么<u>传</u>到你耳朵里去的。

(11) 上课时，同学们都<u>注视</u>着黑板。

④ **完成句子** Complete the sentences

(1) 我正要做饭，_____。（不料）

(2) 我们已经好多年没见过面，_____。（竟然）

(3) 今年，当葡萄熟了的时候，_____。（也许）

(4) 和一个中国同学去饭馆吃饭，吃完饭，他坚持要替我付钱，
    _____。（只好）

(5) 我跟这位同学不太熟，_____。（只是）

(6) 我对她说的那些话，_____。（意外）

⑤ **完成会话** Complete the dialogues

(1) A：这是你养的花呀？

    B：是呀，我不太会养花，_____。（半死不活）

(2) A：我送给你那盆花长得好吗？

    B：开始的时候长得好极了，_____。（不料）

(3) A：今天，我多找一个顾客八十块钱，_____
    _____。（不料）

    B：是吗？你遇到好人了。

(4) A：你听说了吗？小王跟小马离婚了。

· 74 ·

B：是吗？_____。　　（意外）

(5) A：他愿意跟我们一起去吗？

B：他说他愿意，可是_____。（看得出　并不）

⑥ 连句成段　Link the sentences into paragraphs

(1) A. 因此，来中国留学后，我就在音乐学院找了一位老师教我
弹琵琶

B. 他留给我最初的印象是太严厉，脸上没有一点儿笑容

C. 来中国以前，我就觉得中国的琵琶非常神奇，也非常有
意思

D. 和老师第一次见面时我有点儿不好意思

_____

(2) A. 保持着读书人那种"心底无私天地宽"的品格

B. 我的老师都是很好的人，他们的待遇虽然远没有国外
的高

C. 对外面花花绿绿的世界，他们的心里很平静

D. 可他们似乎不太在乎这些

E. 因此，我感到很幸运，遇到了这么好的老师，他们的优
秀品格将影响我的一生

_____

⑦ 改错句　Correct the sentences

(1) 虽然我们两个不久认识，但很快成了好朋友。

_____

（2）今天该上口语课，老师不料没来。

_____

（3）每次舞会她都不参加，没想到今天竟然她参加。

_____

（4）她是我的老师并是我的朋友。

_____

（5）星期六晚上我都特别睡得晚。

_____

（6）学校里的花开得非常特别好看。

_____

8 情景表达　Language and context

A. 下列几句话可能是在什么情况下说的？

　　（1）我想让朋友和我分享快乐和喜悦。

　　（2）没办法，我只好这样做。

　　（3）当时我真的感到非常尴尬。

B. 下列情况应该怎么说？

　　（1）你的书包丢了，不久有人给你送回来了。　　　（没想到）

　　（2）你买了一件和朋友一样的衣服，但价钱却比朋友的贵得多。　　　（竟然）

　　（3）你送给朋友一件小礼物，他如果问你为什么时，你怎么说？　　　（只是）

换换搭档

邻居一个小女孩①_____一家体育馆工作。她说："在羽毛球馆看人打球，发现一②_____非常有趣的现象。"

两对夫妻双打，当然是两位先生和各自的太太搭配。奇怪③_____是，夫妻之间常常吵架，男的说女的打④_____不对，女的说男的打⑤_____不好，两人互相埋怨，结果闹得几乎无法再继续打下⑥_____了。

这时候，邻居女孩很有经验地走过去，⑦_____他们"换换搭档"，就是让各自的太太换到对方一边去，再开始打。

结果，球场⑧_____充满了欢笑，双方打得高高兴兴，不愿离去。

补充生词 Supplementary words

1. 搭档　　　dādàng　　　partner
2. 羽毛球　　yǔmáoqiú　　badminton
3. 有趣　　　yǒuqù　　　interesting
4. 现象　　　xiànxiàng　　appearance；phenomenon
5. 埋怨　　　mányuàn　　to complain
6. 闹　　　　nào　　　　to make a scene；to stir up trouble

Lesson 7

第七课	成语故事

一 课文 Kèwén ⬤ Text ·······································

（一）滥竽充数

中国古代有一种乐器，叫做竽，吹出来的声音很好听。国王特别爱听。

国王有三百个吹竽的人。他喜欢听合奏，总是让这三百人一齐吹竽，优美的音乐让他听得入迷。一天，一个叫南郭先生的人抱着一个竽来见国王，吹牛说："我也会吹竽，吹得不比他们中的任何一位差。"国王相信了他的话，就收下了他，叫人给他吃的穿的。南郭先生一点儿也不客气，专要好的吃，专挑好的穿，却把竽丢在一边。原来他根本不会吹竽。每到合奏的时候，南郭先生就坐在乐队里，做出一副吹竽的样子，骗过国王，就这样一天天地混饭吃。

后来国王死了，他的儿子当了国王。新国王也喜欢听吹竽。不过，跟他父亲不一样的是，他爱听独奏，不喜欢听合奏。这可吓坏了南郭先生，他觉得自己再也混不下去了，就偷偷地溜走了。

（二）自相矛盾

从前，有个卖矛又卖盾的人，为了吸引顾客，高声叫卖："快来看，快来瞧，快来买我的盾和矛！"他先举起自己的盾说："我的盾特别坚固，不管用什么锋利的矛去刺，都刺不透！"接着，他又大声喊："快来瞧，快来看，不锋利不要钱！"一边喊一边又举起自己的矛，大声说："你们再看看我的矛，它锋利无比，不管多么坚固的盾，它都刺得透！"

站在旁边的人听了他的话，觉得很可笑。其中一个人站出来问

他：“既然你的盾坚固得什么也刺不透，你的矛又锋利得什么都刺得透，那么，请问，用你的矛去刺你的盾，结果会怎么样呢？”

这个卖矛和盾的人，被问得说不出话来。

回答课文问题 Answer the questions according to the text

（1）南郭先生为什么能混进乐队里去？

（2）后来南郭先生为什么溜走了？

（3）那个卖矛又卖盾的人是怎么叫卖的？

（4）别人问了他一个什么问题？

二 生词 Shēngcí ● New Words

1. 成语	（名）	chéngyǔ	idiom
2. 滥竽充数		làn yú chōng shù	(of incompetent people or inferior goods) to be there just to make up the number; to mess up the number with sth. inferior
3. 竽	（名）	yú	an ancient wind instrument
4. 乐器	（名）	yuèqì	musical instrument
5. 吹	（动）	chuī	to play (a wind instrument)
6. 国王	（名）	guówáng	king; emperor
7. 合奏	（动、名）	hézòu	to have an instramental ensemble; instrumental ensemble
8. 一齐	（副）	yìqí	at the same time; simultaneously; in unison
9. 入迷		rù mí	be enchanted
10. 吹牛		chuī niú	to boast; to brag; to talk big
11. 差	（形）	chà	bad

12.	专	（副）	zhuān	only
13.	丢	（动）	diū	to put or lay aside
14.	根本	（名、副）	gēnběn	at all
15.	乐队	（名）	yuèduì	orchestra; band
16.	副	（量）	fù	(classifier for facial expression)
17.	混	（动）	hùn	to mix; to mingle
18.	死	（动、形）	sǐ	to die; dead
19.	儿子	（名）	érzi	son
20.	独奏	（动、名）	dúzòu	solo
21.	吓	（名）	xià	to frighten
22.	溜	（动）	liū	to sneak (away)
23.	自相矛盾		zì xiāng máodùn	self-contradiction; self-contradictory; contradictory to each other
	矛	（名）	máo	spear
	盾	（名）	dùn	shield
	矛盾	（动、形）	máodùn	to contradict; contradictory
24.	从前	（名）	cóngqián	in the past
25.	吸引	（动）	xīyǐn	to attract
26.	顾客	（名）	gùkè	customer
27.	叫卖	（动）	jiàomài	to cry one's wares; to peddle
28.	瞧	（动）	qiáo	to look
29.	举	（动）	jǔ	to lift; to raise; to hold up
30.	坚固	（形）	jiāngù	sturdy; strong
31.	锋利	（形）	fēnglì	sharp
32.	刺	（动）	cì	to stab; to prick
33.	喊	（动）	hǎn	to shout; to cry out
34.	透	（动）	tòu	to penetrate

35. 无比	（形）	wúbǐ	incomparable
36. 不管	（连）	bùguǎn	no matter
37. 其中	（名）	qízhōng	among them；of whom
38. 既然	（连）	jìrán	now that

专名 Zhuānmíng **Proper Name**

南郭先生　　　　　Nánguō xiānsheng　　　Mr. Nanguo

三 注释 Zhùshì ● Notes ………………………

（一）骗过国王 fooled the emperor

"过"，动词。作结果补语用，表示通过、达到目地。例如：

The verb "过" is used as a complement of result to indicate having passed a stage or accomplished one's object，e. g.

瞒过父母、考过八十分

（二）南郭先生觉得自己再也混不下去了……

Mr. Nanguo realized he could no longer manage to get by...

"动词＋下去"表示动作继续到将来。

"verb ＋下去" indicates the continuation of an act，e. g.

（1）虽然遇到了一点儿困难，但是我们公司的业务还要开展下去。

（2）请听他说下去。

（3）她哭得说不下去了。

四 词语用法 Cíyǔ yòngfǎ ● Usage ……………………

（一）动词＋下

"下"作结果补语，表示完成、容纳、接受等。

"下" is used as a complement of result to indicate completion of an act or accommodation of something.

(1) 国王相信了他的话，就收下了他。

(2) 我把这套房子买下了。

(3) 这是我们送给你的生日礼物，请你收下吧。

(4) 这些东西我都用不着了，都给你留下吧。

（二）根本　base; fundamental; at all

Ⓐ（名）事物的本源和最重要的部分

base

(1) 解决水的问题是这个城市发展的根本。

(2) 要从根本上解决环境问题。

Ⓑ（形）最重要的；起决定作用的

fundamental; essential; decisive

(3) 控制人口是发展中国经济的一个根本问题。

Ⓒ（副）本来、从来；完全、始终（多用于否定句）

(not) at all, never; wholly; completely (mostly used in negative sentences)

(4) 原来他根本不会吹竽。

(5) 今天的会根本没通知我。

(6) 我根本没有学过法语，怎么看得懂法文书呢？

(7) 你说的这个人我根本不认识。

(8) 要根本解决贫困问题，只有发展经济。

（三）入迷　be enchanted; be enraptured

常说"对……入迷"。不能带宾语。例如，不能说"我入迷音乐。"应该说"我对音乐入迷。"

"入迷" usually appears in the phrase "对…入迷". It cannot take an object, e. g. we shouldut say "我入迷音乐，" but say："我对音乐入迷."

（1）优美的音乐让人听得入迷。

（2）他看足球比赛看得入迷。

（3）这个孩子对电脑入了迷。

（四）偷偷　secretly

表示行动不让别人知道。放在动词或形容词前作状语。

"偷偷" means "in a secret manner" or "not known by others". It functions as an adverbial and is placed before verbs or adjectives.

（1）他觉得自己再也混不下去了，就偷偷地溜走了。

（2）他看大家不注意，就偷偷离开了。

（3）一天，她偷偷把一封信放在了我的书包里。

（五）为了　for, in order to

表示动作目的或动机。

"为了" is used to indicate the purpose or the motive.

（1）为了吸引顾客，他高声叫卖。

（2）为了种树，几年来他们就吃住在山上。

（3）为了演好这个节目，他们常常练到很晚。

（4）为了跟老师学太极拳，我每天都起得很早。

（六）不管　no matter what, how, regardless of

和"都"或"也"一起用。表示在任何条件下结果或结论都不会改变。

"不管" is used together with "都" or "也" in a sentence to emphasize that a fact, result or conclusion will not change under any circumstances.

（1）我的盾特别坚固，不管用什么锋利的矛去刺，都刺不透。

（2）不管遇到什么情况，她都能坚持上课。

（3）不管做什么事，她都非常认真。

（4）不管你回来不回来，都给我来个电话。

(5) 不管刮风还是下雨，她从来没有迟到过。

注意："不管"后边一般是表示任指的疑问代词或者表示选择关系的并列成分。

Note："不管" may be followed by interrogative pronouns indicating general references or parallel elements as alternatives .

不能说：＊不管下大雨我们也去。

（七）**其中** of whom, of which

那里面。可以作主语和定语。

"其中" means "there in" or "in it". It may be used as the subject or attribute.

(1) 站在旁边的人听了他的话，觉得很可笑。其中一个人站出来问他："如果用你的矛去刺你的盾，结果会怎么样呢？"

(2) 我们班一共十八个学生，其中有五个女学生。

(3) 北京有很多公园，颐和园是其中最美的一个。

(4) 中国有很多河，长江是其中最长的一条。

（八）**既然** since；now that

常和"就"、"也"、"还"连用。用在复句的前一个分句中，提出一个已成为现实的情况，后一个分句据此推出结论。

"既然" is often used together with "就"，"也"，"还". It is used in the first clause of a complex sentence to state a fact, while the second clause infers from this fact and draws a conclusion.

(1) 既然你的矛坚固是什么也刺不透，你的矛又锋利得什么都刺得透，那么，用你的矛去刺你的盾，结果会怎么样呢？

(2) 我既然要学汉语，就一定坚持学下去。

(3) 东西既然丢了，着急也没用，以后小心点儿就是了。

(4) 既然病了，就回宿舍休息吧。

1 语音　Phonetics Exercises

（1）辨音辨调　Pronunciations and tones

成语	chéngyǔ	衬衣	chènyī
一齐	yìqí	一起	yìqǐ
从前	cóngqián	存钱	cún qián
顾客	gùkè	骨科	gǔkē
其中	qízhōng	期中	qīzhōng

（2）朗读　Read out the following sayings

百闻不如一见	bǎi wén bù rú yí jiàn
初生牛犊不怕虎	chū shēng niúdú bú pà hǔ
人怕出名猪怕壮	rén pà chū míng zhū pà zhuàng
情人眼里出西施	qírén yǎn lǐ chū Xīshī

2 词语　Read out the following phrases

一齐唱	一齐走	一齐读
听得入迷	看得入迷	学得入迷
根本问题	根本解决	根本不可能
无比锋利	无比高兴	无比幸福
混不下去了	说不下去了	学不下去了
一句话也说不出来		一个句子也想不出来

3 选词填空　Choose from the following words to fill in the blanks

A. 可笑　一齐　矛盾　入迷　优美　偷偷　既然　其中　不管
　　根本

（1）请同学们_____跟我读课文。

(2) 这优美的音乐让我听得_____。

(3) 她来中国以前_____没有学过汉语，你看她现在说得
多好啊。

(4) _____遇到什么困难都不要怕。

(5) 她的话前后_____，不知道应该相信哪一句。

(6) 我怕父母不同意，正_____办着出国手续呢。

(7) 我从来没有见过这么_____的人。

(8) 我有两个照相机，_____一个是朋友送给我的。

(9) _____你喜欢这张画儿，就送给你吧。

(10) 这首民歌真是太_____了。

B.

(1) 这种乐器吹_____的声音特别好听。

   A. 出去   B. 上去   C. 出来   D. 起来

(2) 她已经病了一个多月了，要是再病_____，可能就得回
国了。

   A. 过去   B. 下去   C. 过来   D. 起来

(3) 我想给他写封信，但是坐了半天，连一句话也没写_____。

   A. 上来   B. 出来   C. 下来   D. 出去

(4) 老师问："谁愿意到黑板前边来听写？"我站_____说：
"老师，我去吧。"

   A. 出来   B. 起来   C. 过去   D. 上来

(5) 她难过得说_____了。

   A. 不下来   B. 不出来   C. 不下去   D. 不起来

4 完成句子 Complete the following sentences

(1) 我爸爸也喜欢听音乐，_____。（不过）

(2) 我看这个小伙子很实在，＿＿＿＿＿＿＿＿＿＿＿＿。　（就）

(3) 我住在三层，昨天晚上我喝多了，回到宿舍，掏出钥匙开门，可怎么也开不开门，＿＿＿＿＿＿＿＿＿＿＿＿。　（原来）

(4) 既然你还想再学一年，＿＿＿＿＿＿＿＿＿＿＿＿。　（就）

(5) 他是一个非常热情的人，＿＿＿＿＿＿＿＿＿＿＿＿＿，都会帮助你的。　　　　　　　　　　　　　　　　（不管）

(6) ＿＿＿＿＿＿＿＿＿＿＿＿，我都会坚持下去的。　（不管）

(7) ＿＿＿＿＿＿＿＿＿＿＿＿，她没有告诉朋友。　（为了）

(8) ＿＿＿＿＿＿＿＿＿＿＿＿，他都起得很早。　（为了）

5 完成会话　Complete the dialogues

(1) A：这次汉语节目表演你演得真不错。

　　 B：哪里，＿＿＿＿＿＿＿＿＿＿＿＿＿＿。（滥竽充数）

(2) A：听说你妈妈住院了，你要不要回家去看看？

　　 B：我＿＿＿＿＿＿＿＿＿，我很想回家去看看，可是马上要考试了。　　　　　　　　　　　　　　　　（矛盾）

(3) A：他说一次能喝十瓶啤酒，你信不信？

　　 B：＿＿＿＿＿＿＿＿＿＿＿＿＿＿。　　（吹牛）

(4) A：你昨天不是跟他一起去的吗？

　　 B：没有啊，＿＿＿＿＿＿＿＿＿＿＿。　　（根本）

(5) A：你们不是好朋友吗？

　　 B：谁说的，＿＿＿＿＿＿＿＿＿＿＿。　　（根本）

(6) A：星期一就要考试了。

　　 B：＿＿＿＿＿＿＿＿＿＿＿＿＿＿＿，我们星期日晚

上一定要回到学校。　　　　　　　　　　　　　（不管）

(7) A：你到这儿来，你父母知道吗？

　　B：他们不知道，＿＿＿＿＿＿＿＿＿＿＿＿＿＿＿＿。（偷偷）

(8) A：他说他看了昨天的比赛，可是我问他比赛的结果，他又
　　　　说不知道。

　　B：＿＿＿＿＿＿＿＿＿＿＿＿＿＿＿＿＿＿＿。（自相矛盾）

6 连句成段　Link the sentences into paragraphs

(1) A. 这时，就听他们开始聊起我来了
　　B. 因为旅行太累了，实在没有精神跟身边的中国人聊天了
　　C. 有一次我坐在回北京的火车上
　　D. 就装出一句汉语也不懂的样子，把眼睛一闭，靠在椅子上

　　＿＿＿＿＿＿＿＿＿＿＿＿＿＿＿＿＿＿＿＿

(2) A. 这个说，他可能是美国人，那个说，他一定是德国人
　　B. 为了继续听下去，我好容易才让自己没笑出来
　　C. 他们的话说得特有意思
　　D. 有的说，他穿着一条破裤子，是个穷留学生；有的说，他
　　　　也许是个记者

　　＿＿＿＿＿＿＿＿＿＿＿＿＿＿＿＿＿＿＿＿

7 改错句　Correct the sentences

(1) 她已经偷偷病了好几天了，我们都不知道。

　　＿＿＿＿＿＿＿＿＿＿＿＿＿＿＿＿＿＿＿＿

(2) 既然你病了，就不想去上课。

　　＿＿＿＿＿＿＿＿＿＿＿＿＿＿＿＿＿＿＿＿

(3) 既然这些是我学过的生词，所以我记住了。

_____

(4) 不管天气不好，我们也得去上课。

_____

(5) 不管这个问题非常难，我们都把它要解决。

_____

(6) 不管下大雨，我们也不怕。

_____

(7) 不但他不上课，而且去玩儿。

_____

(8) 老师的问题，我不但不会回答，她也不会回答。

_____

8 情景表达 Language and context

A. 下列句子什么情况下说？

(1) 我参加，不过我是滥竽充数。

(2) 你这么说不是自相矛盾吗？

(3) 你又吹牛。

B. 下列情景怎么说？

(1) 一个朋友说他一次能吃十个包子，你不相信时怎么说？

(2) 你们班要跟别的班比赛足球，你们的队还少一个人，同学要你参加，你踢得不太好，但还是参加了，可以怎么说？

(3) 他常常对别人说他不怕冷，但是却穿得比别人都多，你可以怎么说他？

刻舟求剑

从前，有一个人坐船过①＿＿＿＿＿，船走到河中间的时候，不小心②＿＿＿＿身上带的剑掉到河里③＿＿＿＿了。他马上在船上刻了一个记号，还自言自语地说："我的剑就是④＿＿＿＿这儿掉到河里去的。"

船在河里走了好久，终于到了岸边。这个人急忙从船上刻着记号的地方跳下水⑤＿＿＿＿，找他的剑。你想，他怎么能⑥＿＿＿＿＿到他的剑呢？

这也是中国一个很有名的成语故事，名字叫"刻舟求剑"。

补充生词　Supplementary words

1.	刻舟求剑	kè zhōu qiú jiàn	to nick the boat to seek the sword—do sth. in disregard of changed circumstances
2.	剑	jiàn	sword
3.	刻	kè	to cut
4.	记号	jìhàor	mark
5.	岸	àn	bank

Lesson 8

第八课	恋爱故事

一 课文 Kèwén ● Text ....

　　我们班的赵霞聪明漂亮，大方开朗，是个人见人爱的女孩儿。我当然也很喜欢她。但我从没有跟别人说过，也没有向她做过任何表示，这是我心中的一个秘密，因为我知道，我的好朋友余辉也很喜欢她。

　　余辉和赵霞的家离得很近，他每次来找我玩都带着赵霞。看着心爱的女孩儿跟自己的好朋友有说有笑的情景，我心里有一种说不出的滋味，常常表现得很不自然，所以我总是尽量不跟他们在一起。

　　那是一个冬天的上午，天很冷，我病了，没去上课，一个人无聊地呆在家里。忽然有人敲门，我开门一看，是赵霞。她手捧一束鲜花站在门口，脸冻得红红的，笑着问："我可以进去吗？"我请她进来。亲切的问候，浅浅的微笑，再加上这束鲜花，我感动得眼泪都快要流出来了。整个上午我都很开心。第一次和自己心爱的姑娘说了那么多话，我想，我已经不知不觉地表示了对她的感情。

　　一天，我突然发现电子信箱里有一封信，打开一看，是赵霞写的。信中说，她和余辉只是普通的朋友，她真正喜欢的是我。我立刻高兴得跳了起来。但是兴奋中也带着淡淡的忧愁。一连好几个晚上，我都翻来覆去睡不着。我想了很多，心里很矛盾。一个是自己爱恋已久的女孩儿，一个是自己最好的朋友，失去谁我都觉得是很大的遗憾。该怎么办呢？

我给赵霞回了一封信，把自己矛盾的心情告诉了她。

一个星期六晚上，余辉打电话要我去他家。当我赶到时，他已经喝了很多酒，哭着对我说："我失恋了，赵霞不喜欢我。而且她告诉我，她早就有男朋友了。"我默默地看着余辉，除了陪他喝酒以外，我还能做什么呢？

赵霞有男朋友的消息很快就在班上传开了。有人说她的男朋友是外交大学的研究生，长得很帅，学习也很好，正准备出国留学呢。说得跟真的一样，同学们都相信了。

后来，余辉有了新的女朋友。赵霞跟我恋爱的消息才慢慢公开。余辉问我："你们是怎么走到一起的？"我说："赵霞的男朋友出国后就把她给甩了，于是我们就走到了一起。"

"我早就料到那家伙不是好东西。"余辉说。

现在赵霞已经成了我的妻子，余辉仍然是我最好的朋友。

回答课文问题　Answer the questions according to the text

(1) 赵霞是一个什么样的女孩儿？你遇到过这样的女孩儿吗？

(2) 为什么"我"看到余辉和赵霞在一起，心里就有一种说不出的滋味？你尝过这样的滋味吗？

(3) "我"为什么尽量不跟他们在一起？

(4) "我"病了，为什么还觉得很开心？

(5) 赵霞到底喜欢谁？

(6) 当知道赵霞喜欢自己的时候，"我"是什么感觉？

(7) "我"的心里为什么很矛盾？如果是你，你会怎么办？

(8) 赵霞跟"我"好的消息是什么时候公开的？

(9) "我"处理问题的方法你赞成吗？为什么？

1. 恋爱	（动、名）	liàn'ài	to love; mutual love between man and women
2. 聪明	（形）	cōngmíng	intelligent; clever
3. 大方	（形）	dàfang	natural and poised; easy; unaffected
4. 开朗	（形）	kāilǎng	(of idea, mind, character, etc) sanguine, optimistic
5. 女孩儿	（名）	nǔháir	girl
6. 任何	（代）	rènhé	any; whatever; whichever; whoever
7. 秘密	（名）	mìmì	secret
8. 心爱	（动）	xīn'ài	loved; treasured; dear to one's heart
9. 有说有笑		yǒu shuō yǒu xiào	to talk and laugh
10. 滋味	（名）	zīwèi	experience; feeling; taste
11. 自然	（形、名）	zìrán	natural; unaffected; at ease; not rigid
12. 尽量	（副）	jǐnliàng	to the best of one's ability; as far as possible
13. 无聊	（形）	wúliáo	(of speech, behavior, etc.) senseless silly
14. 敲	（动）	qiāo	to knock
15. 捧	（动）	pěng	to clasp; to hold in both hands
16. 束	（量）	shù	(classifier) bundle; bunch; sheaf
17. 亲切	（形）	qīnqiè	warm; close; affectionate; kind
18. 问候	（动）	wènhòu	to send one's regards to; to say hello to
19. 微笑	（动）	wēixiào	to smile

20.	加	（动）	jiā	to put in; to add; to plus
21.	整个	（形）	zhěnggè	whole
22.	开心	（形）	kāixīn	happy
23.	不知不觉		bù zhī bù jué	unconsciously; unwittingly
24.	电子信箱		diànzǐ xìnxiāng	electronic mailbox
25.	普通	（形）	pǔtōng	common; general
26.	立刻	（副）	lìkèi	immediately; at once; right away
27.	淡	（形）	dàn	light
28.	忧愁	（形）	yōuchóu	worried; troubled
29.	一连	（副）	yìlián	in a row; in succession; running
30.	翻来覆去		fān lái fù qù	to toss and turn; repeatedly
31.	爱恋	（动）	àiliàn	to be in love with; to feel deeply attached to
32.	失恋		shī liàn	(of sb. in love) to lose the love of the other party; to be disappointed in love affairs
33.	默默	（副）	mòmò	quiet; silent
34.	外交	（名）	wàijiāo	diplomacy
35.	消息	（名）	xiāoxi	news; message
36.	公开	（动、形）	gōngkāi	to make public; public
37.	甩	（动）	shuǎi	to leave sb behind; to throw off
38.	料到	（动）	liàodào	to foresee; to anticipate
39.	家伙	（名）	jiāhuo	fellow; guy
40.	仍然	（副）	réngrán	still

专名 Zhuānmíng **Proper Names**

1.	赵霞	Zhào Xiá	Zhao Xia, name of a Chinese
2.	余辉	Yú Huī	Yu Hui, name of a Chinese

·······

我早就料到那家伙不是好东西

汉语常用"东西"这个词来骂人，表示对某人的厌恶和不满。

"东西"，when used to refer to a person, connotes a sense of strong disgust.

(1) 这个家伙不是个东西。

(2) 你是什么东西？为什么打女人。

把小孩儿说成"小东西"则有亲切的感情。

"小东西"，when used to describe a child, connotes affection.

(3) 这个小东西，真聪明！

四 词语用法 Cíyǔ yòngfǎ ● Usage ·········

(一) 任何 any; whatever; whichever; whoever

代词。表示不论什么（人或事物），在句子中作定语。

A pronoun, used as an attribute to mean "no matter who/ what…".

(1) 我当然也很喜欢她。但我从没有跟别人说过，也没有向她做过任何表示。

(2) 只要你想干成一件事，任何困难都不要怕。

(3) 做任何事情都不可能随随便便成功。

(二) 尽量 to the best of one's ability; as far as possible

表示力求达到最大限度。

"尽量" means to try one's best to reach the maximum.

(1) 看着自己心爱的女孩儿跟自己的好朋友有说有笑，我心里有一种说不出的滋味，所以我总是尽量不跟他们在一起。

（2）你放心吧，只要我能做到的，我会尽量帮忙。

（3）在课堂上，要尽量多说、多问，这样才能提高听说能力。

（4）明天希望大家尽量早点儿来。

（三）**立刻** immediately；at once；right away

副词。在句子中放在动词前面作状语。表示紧接着某个时候，很快地。

"立刻"，an adverb，is used before a verb as an adverbial meaning immediately.

（1）她信中说，她真正喜欢的是我。我立刻高兴得跳了起来。

（2）听到这个消息，我难过得哭了起来。

（3）请你立刻到办公室去，老师在那儿等你呢。

（4）吃了早饭我就立刻去机场接她。

比较："立刻"与"马上"

Compare："立刻"and"马上"

"立刻"表示动作发生的时间比"马上"更短。

"立刻"is more quickly than"马上".

（5）我下了课就立刻去医院看你。也可以说：我下了课就马上去
 医院看你。

（6）我弟弟马上就要毕业了。不能说：我弟弟立刻就要毕业了。

（四）**一连** in a row；running；in succession

表示动作连续不断或情况连续发生。作状语。

"一连"means the continuation of an act or the continuous emergence of a cir-cumstance. It is used as an adverbial.

（1）一连好几个晚上，我都翻来覆去睡不着。

（2）一连下了两天雨，路上到处都是水。

（3）我一连喊他了好几声，他才听见。

（4）我一连给她写了好几封信，她都没有回。

表示情况持续不变或恢复原状；还。用于动词或形容词前作状语。

"仍然" indicates a circumstance remains unchanged（synonym：还）. They are placed before verbs and adjectives，e. g.

（1）现在赵霞已成了我的妻子，余辉仍然是我最好的朋友。

（以前余辉是我的好朋友。）

（2）昨天有雨，今天仍然有雨。

（3）这个语法老师已经讲过了，可是我仍然不太懂。

（老师讲以前我就不懂。）

五　练习 Liànxí ● Exercises ··

1 语音　Phonetics Exercises

（1）辨音辨调　Pronunciations and tones

微笑	wēixiào	微小	wēixiǎo
整个	zhěnggè	整合	zhěnghé
立刻	lìkè	理科	lǐkē
一连	yìlián	依恋	yīliàn
外交	wàijiāo	外教	wàijiào
仍然	réngrán	忍让	rěnràng

（2）朗读　Read out the following poems

在天愿作比翼鸟，　　Zài tiān yuàn zuò bǐ yì niǎo,

在地愿为连理枝。　　Zài dì yuàn wéi lián lǐ zhī.

两情若是久长时，　　Liǎng qíng ruò shì jiǔ cháng shí,

又岂在朝朝暮暮？　　Yòu qǐ zài zhāo zhāo mù mù?

② 词语 Read out the following phrases

任何人	任何事情	任何地方	任何时间
尽量去做	尽量去办	尽量参加	尽量早点回来
很亲切	感到亲切	亲切的问候	亲切地说
人见人爱	不知不觉	有说有笑	翻来覆去
立刻回来	立刻回去	立刻出发	立刻去买
默默地呆着	默默地看着	默默地等着	默默地站着

③ 选词填空 Choose from the following words to fill in the blanks

A. 有说有笑 无聊 秘密 问候 开朗 尽量 不知不觉 自然
   滋味

(1) 时间过得真快啊，_____来中国已经一年了。

(2) 她是一个性格_____的女孩子，很多男孩子都喜欢她。

(3) 谁心里都可能有一个不可说出的_____，你有没有？当然
    有了，不过，说出来还叫"秘密"吗？

(4) 一下课同学们就_____地往食堂走去。

(5) 第一次恋爱就失败了，她心里真不是_____。

(6) 请代我_____你的父母，祝他们身体健康。

(7) 女孩子长得漂亮，_____会引起男孩子的注意。

(8) 我会_____把这件事做好，你就放心吧。

(9) 星期天，同学们都出去了，我一个呆在宿舍里，觉得很____。

B.

(1) 她是我_____的姑娘。   （心爱 热爱）

(2) 他非常_____这个工作。   （心爱 热爱）

(3) 事情来得太_____，我一点儿准备都没有。（突然 忽然）

(4) 世界上常常会发生一些_____事件。　　　（突然　忽然）

(5) 我虽然喜欢他，但是从来没有做出任何_____。

（表示　表达）

(6) 现在我还不能用汉语自由地_____自己的想法。

（表示　表达）

4 完成句子　Complete the following sentences

(1) 时间过得真快，_____。（不知不觉）

(2) 一下了课，同学们就_____。（有说有笑）

(3) 听到这个消息，我躺在床上_____。（翻来覆去）

(4) 那种感觉，我现在用汉语还_____。（表达）

(5) 虽然是第一参加演出，但是_____。（自然）

(6) 看到自己喜欢的女孩儿跟别人结了婚，_____

_____。　　　（说不出）

5 完成会话　Complete the following dialogues

(1) A：_____？　　　（喜欢）

B：我喜欢漂亮但是不太聪明的女孩子。

A：_____？

B：因为我就不太聪明。

(2) A：_____？　　　（失恋、滋味）

B：当然尝过。

A：_____？

B：那种滋味我现在用汉语还说不出来。

(3) A：他最近怎么了？_____？　　　（一连）

B：他生病了，请了三天假。

· 100 ·

(4) A：我想去西安去旅行，你愿意陪我去吗？

B：_____。 （当然）

(5) A：我们明天什么时候出发？

B：_____。 （尽量）

(6) A：他下学期还在这儿学习吗？

B：_____。 （仍然）

6 连句成段 Link the sentences into paragraphs

(1) A. 看来这个愿望很快就要实现了

B. 去年我来到了中国

C. 俗话说，"百闻不如一见"，我一直想如果有机会一定到三峡去看看

D. 以前，我在杂志上，画报上，看见过很多描写长江三峡的文章和照片

_____

(2) A. 不料，他的妈妈突然病了，来电话让她回国

B. 然后买好火车票，坐上开往重庆的火车，就到三峡游览去了

C. 我只好一个人去，那天，我先把朋友送走

D. 上个月，学校放假了，我就和一个朋友商量好，准备一起去三峡

_____

7 改错句 Correct the sentences

(1) 她是一个很漂亮和很聪明的姑娘，我很喜欢她。

_____

(2) 我很爱她，但是她不知不觉。

_____

(3) 他失恋了一个女朋友，很痛苦。

_____

(4) 最近我的心里矛矛盾盾的，不知道出国留学好呢，还是在国
内上大学好。

_____

(5) 他一连三天不上课了。

_____

(6) 请大家尽量地唱吧。

_____

8 情景表达　Language and context

A. 下列句子什么情况下说?

(1) 这是我心中的一个秘密。

(2) 看到这种情景，我心里有一种说不出的滋味。

(3) 我感到非常遗憾。

B. 下列情况应该怎么说?

(1) 得到一个好消息或遇到一件好事，晚上怎么也睡不着觉，
怎么说? 　　　　　　　　　　　　　　　（翻来覆去）

(2) 他女朋友又有了新的男朋友，不愿意再跟他交往了。（甩）

(3) 觉得时间过得很快，来中国已经快半年了。　（不知不觉）

9 综合填空 Fill in the blanks

等 待

半个月前，我和男朋友吵①＿＿＿＿＿一架，到现在我们都不说话，我心里②＿＿＿＿＿难过。原因是我们对一件事的看法不③＿＿＿＿＿。他觉得这件事他做得对，可我觉得自己也没有错。④＿＿＿＿＿各自坚持自己的看法，互不相让。我这个人平时很随和，⑤＿＿＿＿＿这件事我觉得不能让步。半个月了，⑥＿＿＿＿＿很想跟他和好，可又迈不出第一步。我还在等待，等着他主动跟我和好，如果他还不主动，只好我主动⑦＿＿＿＿＿，没办法，⑧＿＿＿＿＿让我爱他呢？

补充生词 Supplementary words

1.	等待	děngdài	to wait
2.	各自	gèzì	each
3.	互不相让	hù bù xiāng ràng	neither is willing to give ground
4.	随和	suíhé	amiable
5.	让步	ràngbù	to give in
6.	迈步	màibù	to take a step; to make a step
7.	主动	zhǔdòng	initiative

Lesson 9

第九课	幸福的感觉

一 课文 Kèwén ● Text

到底什么是幸福？谁能说清楚？

没有人能说清楚有多少钱、有多大权力算是得到了幸福；也没有人能说清楚有多少儿女、有多少朋友算是得到了幸福；更没有人能说清楚拥有多少感情算是得到了幸福……。因为幸福完全是个人行为，永远没有统一的标准，也没有不变的标准。

幸福其实就是一种个人的感觉，我们每个人都可以得到幸福，只要你心中有幸福的感觉。

曾经读过一个让我感动的故事。一个亿万富翁，却对一块糖充满感情。原来，他小时候家里很穷，从没吃过糖。有一次在路上，一个好心人给了他一块糖。后来他回忆当时的情景，他不知道那种滋味叫甜，只是感觉到一种从来没有过的幸福。后来，这个穷孩子靠自己的努力成了富翁，同时也成了有名的慈善家。

·104·

他说："我每帮助一个人，都会想起当初那块糖，就会感激那位给我糖吃的好心人。一块糖只是甜在嘴里，而他的善良却甜透了我的心。现在我吃什么喝什么都没有了那种甜到心里的感觉，只有多做善事帮助别人，回报社会，才能找回第一次吃到糖时的那种感觉。"——对他来说，幸福就是让别人过得更美好。

我有一个邻居，她丈夫爱上了别的女人，提出和她离婚。离婚的时候她只有一个条件：儿子由她抚养。她收入不高，可她脸上总是带着笑容，那笑容可不是装出来的。为了抚养儿子，她每天都辛辛苦苦地工作着。可是她说："我从来不觉得苦和累，只要一看到儿子的笑脸，就觉得自己是世界上最幸福的人。"——对她来说，幸福就是看到儿子的笑脸。

对我来说，幸福是什么呢？是读到一本好书，是与朋友聊一个有趣的话题，是从自己不多的收入里拿出一部分钱捐给希望工程，是看到那些失学的孩子又背起书包回到学校，是看到那些以前贫穷的人们过上了好日子，是看到我的祖国一天天走向富强，当然还有老母亲和全家人都健康、平安、快乐……，这些都是我的幸福。

幸福永远没有统一的标准，只要你心里感觉到幸福，你就是一个幸福的人。

（根据王书春的文章改写　选自《北京晚报》）

回答课文问题　Answer the questions according to the text
（1）作者对"幸福"的看法是什么？
（2）怎么样才能得到幸福？
（3）那个富翁为什么要帮助别人？
（4）"我"的邻居觉得什么是幸福？
（5）请说说你幸福的感觉。

二 生词 Shēngcí ● New Words

1. 到底 （副） dàodǐ at last；finally；after all；
when all is said and done

2. 权力 （名） quánlì power

3. 算 （动） suàn to consider；to be regarded as

4. 儿女 （名） érnǚ sons and daughters；children

5. 拥有 （动） yōngyǒu to possess；to have；to own（a great
deal of land, population, property, etc.）

6. 完全 （形） wánquán all；whole；entire

10. 个人 （名） gèrén （as opposed to "the collective"）
individual person

11. 行为 （名） xíngwéi behaviour

12. 永远 （副） yǒngyuǎn always；ever

13. 统一 （形、动） tǒngyī unified；to unify

14. 标准 （名、形） biāozhǔn criterion；serving as or conforming to a
standard

15. 得到 （动） dédào to get；to obtain；to gain；to receive

16. 只要 （连） zhǐyào if only；as long as

17. 富翁 （名） fùwēng man of wealth

18. 穷 （形） qióng poor

19. 好心 （名） hǎoxīn kindness；kind heart

20. 回忆 （动、名） huíyì to memorize；memory

21. 当时 （名） dāngshí then；at that time

22. 慈善家 （名） císhànjiā philanthropist

23. 当初 （名） dāngchū originally；at that time

24. 感激 （动） gǎnjī to feel grateful；to be indebted

25. 回报	（动）	huíbào	to repay; to requite
26. 美好	（形）	měihǎo	fine
27. 离婚		lí hūn	to divorce
28. 条件	（名）	tiáojiàn	condition
29. 收入	（名）	shōurù	income
30. 脸	（名）	liǎn	face
31. 笑容	（名）	xiàoróng	smiling expression
32. 装	（动）	zhuāng	to pretend
33. 抚养	（动）	fǔyǎng	to foster; to rear
34. 话题	（名）	huàtí	topic
35. 捐	（动）	juān	to donate
36. 工程	（名）	gōngchéng	project
37. 失学		shī xué	to be deprived of education
38. 背	（动）	bēi	to carry on the back
39. 书包	（名）	shūbāo	schoolbag
40. 贫穷	（形）	pínqióng	poor
41. 祖国	（名）	zǔguó	one's country; homeland; motherland
42. 富强	（形）	fùqiáng	prosperous and strong

三 注释 Zhùshì ● Notes ·················

希望工程 The Project Hope

　　由中国青少年发展基金会发起并组织的一项为帮助贫困家庭失学儿童重返校园的捐资助学活动。这项活动得到全中国各界的普遍支持。使几百万失学儿童重返校园。

A project initiated and organized by the Foundation of Chinese Youngsters' Development, which purports to help those school – age children who are deprived of schooling because of poverty. This project has been supported by people from all walks of life. Millions of children benefited from this project and went back to schools.

四 词语用法 Cíyǔ yòngfǎ ● Usage ··································

（一）曾经　used to

表示从前有过某种行为或情况。

"曾经" indicates something that happened before or a circumstance that existed in the past.

(1) 曾经读过一个让我感动的故事。

(2) 他们两个曾经到欧洲考察过环境保护的情况。

(3) 来中国以前，他曾经学过几个月汉语。

(4) 今年夏天的温度曾经达到过 37 度。

比较："曾经" 与 "已经"

Compare："曾经" and "已经"

"曾经" 表示从前有过某种行为或情况，时间一般不是最近。"已经" 表示事情完成，时间一般在不久以前。

"曾经" indicates something happened before; the time is normally not recent. "已经" indicates something is finished; the time is normally fairly recent.

(1) 十年前他曾经去过中国。（说话时，他不在中国）

(2) 昨天他已经去了中国。（说话时，他在中国）

"曾经" 所表示的动作或情况现在已结束；"已经" 所表示的动作或情况可能还在继续。

The act or circumstance indicated by "曾经" has already ended; the act or circumstance indicated by "已经" may be still continuing.

(3) 他曾经当过中学老师。（他现在不是中学老师了）

(4) 他已经当了中学老师。（他现在是中学老师）

at last；finally；（used in a question for emphasis）after all；when all

表示进一步追究，希望得到最后的结果或结论。用在疑问句中，置于动词、形容词或主语前。

"到底" is used in further questioning in an attempt to obtain a final, definite answer. It is used in questions and is placed before verbs, adjectives or subjects.

(1) 到底什么是幸福？谁能说清楚？

(2) 明天你到底来不来？

(3) 他到底是哪国人？

(4) 昨天你还说和我们一起去，今天你又说不去了，你到底去不去？

(5) 那儿的风景到底好不好？

表示经过较长过程最后出现某种结果。有庆幸的语气。必带"了"或其他表示完成的词语。

It also indicates that a result has finally come out, implying a rejoicing tone.

The particle "了" or other words indicating accomplishment must be used together with "到底".

(6) 我等了一个小时，他到底来了。

(7) 一个月后，她到底找到了那个人。

比较："到底"与"终于"

Compare："到底" and "终于"

"终于"多用于书面，"到底"书面、口头都常用。"到底"用在动词或动词词组前，必须带"了"，"终于"可带可不带。

"终于" is mostly used in written Chinese；"到底", which must be followed by "了", can be used in both the written and the spoken.

When used before verbs or verbal phrases, "到底" must be followed by "了"；for "终于", "了" is optional.

(8) 问题到底解决了。

(9) 问题终于解决（了）。

"到底"可用于问句，"终于"不能。

"到底" can be used in questions；"终于" cannot.

（10）她到底（＊终于）来不来？

（11）我的信你到底（＊终于）收到没有？

（三）算　be regarded as

可以说是，可以被认为。后面可以加名词、动词、形容词。

"算" means "can be said/described/counted as". It can be followed by nouns, verbs and adjectives, e. g.

（1）一个人到底有多少钱，有多大权力算是得到了幸福，没有人能说清楚。

（2）这几天还不算太冷。

（3）爸爸妈妈的身体还算健康。

（四）原来　originally；so

Ⓐ 以前某一时期，当初。（现在已经不是这样了。）

"原来" means sometime in the past, at first. （ suggesting that things are different now. ）

（1）一个亿万富翁，却对一块糖充满感情。原来，他小时候家里很穷，从没有吃过糖。

（2）原来她一句汉语都不会说，现在已经能翻译一些简单的文章了。

（3）原来我们家乡连汽车都不通，现在交通可方便了。

Ⓑ 发现了以前不知道的情况，含有恍然醒悟的意思。可用在主语前或后。

It may indicate that a formerly unknown fact is discovered and implies a sudden realization. It may be used either before or after a subject.

（4）这几天他都没来上课，原来他病了。

（5）我想是玛丽，原来是你啊。

（五）装　pretend

假装，不是真的　feign, make believe, not true

(1) 她收入不多，可她脸上总是带着笑容，那笑容可不是装出来的。

(2) 懂就是懂，不懂就是不懂，不要装懂。

(3) 病是装不出来的。

(4) 他装着高兴的样子，其实心里很难过。

（六）对……来说　to...

表示从某人、某事的角度来看，后边跟结论部分。也说"对……说来"。

"对…来说" means "seen/considered from the perspective of someone or something". And is followed by the concluding remarks. Also "对…说来".

(1) 对她来说，幸福就是看到儿子的笑脸。

(2) 对我来说，这里已经成了第二家乡。

(3) 对一个老师来说，教好自己的学生是最重要的。

五　练习 Liànxí ● Exercises ⋯⋯⋯⋯⋯⋯⋯⋯⋯⋯

1 语音　Phonetics Exercises

(1) 辨音辨调　Pronunciations and tones

行为	xíngwéi	行贿	xínghuì
话题	huàtí	滑梯	huátī
回报	huíbào	汇报	huìbào
统一	tǒngyī	同意	tóngyì
曾经	céngjīng	增进	zēngjìn
条件	tiáojiàn	挑拣	tiāojiǎn

(2) 朗读　Read out the following sentences

知足常足，终身不辱。　　Zhī zú cháng zú, zhōng shēn bù rǔ.

知止常止，终身不耻。　　Zhī zhǐ cháng zhǐ, zhōng shēn bù chǐ.

富贵如浮云，　　　　　　Fù guì rú fú yún,

得亦不喜，失亦不忧。　　dé yì bù xǐ, shī yì bù yōu.

2 词语　Read out the following phrases

幸福的感觉	愉快的感觉	不好的感觉
当时的情景	当时的情况	当时的想法
善良的人	善良的心	为人善良
回报社会	回报父母	回报祖国
提出条件	条件很好	离婚条件

3 选词填空　Choose from the words to fill in the blanks

A. 曾经　情景　收入　感觉　有名　笑容　富翁　失学　感情
回报

(1) 他在国外生活的 _____ 怎么样？

(2) 上大学时，他们在一个班学习，后来又在一起工作，所以，
慢慢就产生了 _____。

(3) 她 _____ 到过十几个国家。

(4) 出国已经三年了，回忆刚出国时的 _____，心里真不是
滋味。

(5) 要是你是一个百万 _____，你会不会帮助贫穷的人？

(6) 她是我们家乡 _____ 的医生。

(7) 我要好好学习，学到真本领，_____ 父母。

(8) 我常常想起我的小学老师，他的 _____ 不高，但是他却经
常帮助班上生活困难的同学。

(9) 看到大夫把孩子的病治好了，妈妈脸上才有了_____。

(10) 希望工程帮助很多_____的孩子回到了学校。

B.

(1) 这个国家_____2000 万人口。

  A. 生活   B. 拥有   C. 发现   D. 拥挤

(2) 看了那么多电影，这一部还_____是有意思的。

  A. 总   B. 就   C. 也   D. 算

(3) 你_____来了，我已经等了半个多小时了。

  A. 真   B. 总   C. 可   D. 就

(4) 她脸上的笑容是装_____的，其实，她的心里很苦。

  A. 出去   B. 起来   C. 过来   D. 出来

(5) _____朋友的帮助，他找到了一个很好的工作。

  A. 在   B. 让   C. 叫   D. 靠

(6) 你不是打算再学一年吗，现在_____决定了没有？

  A. 还是   B. 终于   C. 到底   D. 最后

4 完成句子　Complete the following sentences

(1) 每个人都能拥有幸福，_____。　（只要）

(2) 玛丽告诉我你回国了，_____。　（原来）

(3) 经过三年的努力，_____。　（算）

(4) 长大以后，_____。　（回报）

(5) _____，这种工作不是很难。（对……来说）

(6) 早知道是这样的结果，_____。　（当初）

(7) 那个年轻人很有能力，_____。　（靠）

(8) _____，现在变成了一座城市。（曾经）

5 完成会话　Complete the following dialogues

(1) A：＿＿＿＿＿＿＿＿＿＿＿＿＿＿？　　　　（到底）

　　B：我打算暑假去西安旅游。

(2) A：这个足球队的水平怎么样？

　　B：＿＿＿＿＿＿＿＿＿＿＿＿＿＿。　　　　（算）

(3) A：你们国家的面积是多少？

　　B：＿＿＿＿＿＿＿＿＿＿＿＿。　　　　（拥有）

(4) A：＿＿＿＿＿＿＿＿＿＿＿？　　　　（原来）

　　B：我原来是学法律的，去年才决定改学经济。

(5) A：你是自费来留学的吗？

　　B：不是，＿＿＿＿＿＿＿＿＿＿。　　　　（靠）

(6) A：＿＿＿＿＿＿＿＿＿＿＿？　　（对……来说）

　　B：我觉得最难的还是词语的用法。

(7) A：你的汉语是在哪儿学的？

　　B：＿＿＿＿＿＿＿＿＿。　　　　（曾经）

(8) A：这件事发生时你在中国吗？

　　B：不在，＿＿＿＿＿＿＿＿。　　　　（当时）

6 连句成段　Link the sentences into paragraphs

(1) A. 答案可能是各种各样的

　　B. 因为每个人都有自己的看法

　　C. 对于什么是幸福这个问题

　　D. 对正在挨饿的人来说，如果让他吃饱饭，他可能就会感到很幸福

　　　＿＿＿＿＿＿＿＿＿＿＿

(2) A. 幸福可能就是成为亿万富翁

　　 B. 对一个有病的人来说

　　 C. 对一个百万富翁来说

　　 D. 幸福就是有一个健康的身体

　　 _____

7 改错句　Correct the sentences

(1) 去年我姐姐离婚了她丈夫。

　　 _____

(2) 我以前曾经没有来过中国，这是第一次。

　　 _____

(3) 爸爸老年了，他很喜欢回忆以前的好时间。

　　 _____

(4) 到中国以后，我决定了到云南少数民族地区去旅行。

　　 _____

(5) 因为妈妈在海边长大了，所以，她常常带我们看海。

　　 _____

(6) 火车站人很多，所以我们要等一等很长时间。

　　 _____

8 情景表达　Language and context

A. 下面的句子是在什么情景下说的？

(1) 只要能工作，我就觉得非常幸福。

(2) 这种事情没有统一的标准。

(3) 我觉得她是一个善良的人。

B. 下面的情景可以怎么说？

   (1) 要是有一天我成了百万富翁，……，下面的话你会怎么说？

   (2) 你过生日那天，朋友们都来向你表示祝贺，你的感觉怎样？

   (3) 在母亲节那天给妈妈打了一个电话，向妈妈问好，妈妈很高兴。你自己的心情怎么表达？

9 综合填空 Fill in the blanks

拔苗助长

有个性急的人，种了几亩田。总希望田里的苗快一点儿长，①_____苗长得不像他想的那么快。

有一天，他忽然想②_____了一个"好"办法，就急急忙忙跑到田里，③_____每棵苗都往上拔了拔。回过头来再看看苗，④_____原来高了不少，心里十分高兴。回到家，⑤_____对家里人说："我辛辛苦苦干了一整天，快累死⑥_____！不过一天的时间，地里的苗⑦_____长高了很多。"

他的儿子听了，感到很奇怪，就跑到田里去看，结果，田里的苗都死⑧_____。

补充生词 Supplementary words		
1. 拔苗助长	bá miáo zhù zhǎng	to try to help seedlings grow by pulling them up—spoil things by excessive enthusiasm
2. 性急	xìngjí	impatient
3. 田	tián	field

Lesson 10

第十课	提高自己

一 课文 Kèwén ● Text

有一个人在一家贸易公司工作，但是他很不满意自己的工作。一天，他愤怒地对朋友说："我们头儿一点也不把我放在眼里，改天我要对他拍桌子，然后辞职不干。"

"你对你们公司的业务完全弄清楚了吗？对于他们做国际贸易的技巧完全搞通了吗？"朋友反问他。

"没有！"

"君子报仇，十年不晚，我建议你先把他们的一切贸易技巧、商业文件和公司组织完全搞通，除了能熟练地操作电脑以外，还要学会程序设计，甚至连怎么修理打印机、

复印机的小毛病都要学会，然后再辞职不干。"他的朋友建议："你把你们的公司当作免费学习的地方，什么东西都搞通了以后再走，不是既出了气，又有许多收获吗？"

那人听从了朋友的建议，从此刻苦学习，甚至下班之后，仍然留

在办公室加班，还常常开夜车练习写各种商业文件。

一年之后，那位朋友偶然遇到他，就说：

"你现在大概都学会了，可以准备辞职不干了吧！"

"可是我发现这半年来，老板对我刮目相看，最近还让我担当重任，又升职、又加薪，我已经成公司的红人了！"

"这是我早就料到的！"他的朋友笑着说，"当初你的老板不重视你，是因为你的能力不足，却又不努力学习，后来你刻苦学习，他当然会对你刮目相看了。"

只知道埋怨领导的态度，却不努力提高自己的能力，这是不少人常犯的毛病啊！

（根据刘墉的文章改写　选自《青年博览》）

回答课文问题　Answer the questions according to the text

（1）这个人为什么想辞职？

（2）他的朋友向他提出了什么建议？

（3）他听从朋友的建议了没有？

（4）一年以后这个人为什么又不想辞职了？

（5）领导为什么会对他刮目相看？

二　生词 Shēngcí ● New Words

1. 提高	（动）	tígāo	to raise; to heighten; to enhance; to improve
2. 贸易	（名）	màoyì	commercial activity
3. 愤怒	（形）	fènnù	angry; furious
4. 头儿	（名）	tóur	head; boss
5. 改天	（副）	gǎitiān	some other day
6. 拍	（动）	pāi	to pound

7. 弄	（动）	nòng	to do; to manage; to handle
8. 技巧	（名）	jìqiǎo	skill
9. 反问	（动）	fǎnwèn	to ask（a question）in reply; to retort
10. 君子	（名）	jūnzǐ	man of high rank; man of honour; man of virtue
11. 报仇		bào chóu	to revenge
12. 文件	（名）	wénjiàn	document
13. 熟练	（形）	shúliàn	skillful
14. 操作	（动）	cāozuò	to operate
15. 程序	（名）	chéngxù	program; procedure;（of things）order
16. 设计	（动）	shèjì	to design
17. 甚至	（连）	shènzhì	even
18. 修理	（动）	xiūlǐ	to repair; to mend
19. 打印机	（名）	dǎyìnjī	printer
20. 复印机	（名）	fùyìnjī	copier
21. 毛病	（名）	máobìng	flaw; problem
22. 免费		miǎn fèi	free of charge; free
23. 既…又…		jì…yòu…	both...and...; as well as
24. 出气		chū qì	to give vent to one's anger
25. 听从	（动）	tīngcóng	to act at the will of others; to obey; to comply with
26. 从此	（副）	cóngcǐ	from this time onwards; from then on
27. 刻苦	（形）	kèkǔ	hardworking
28. 留	（动）	liú	to remain; to stay
29. 加班		jiā bān	to work overtime
30. 开夜车		kāi yèchē	to work late into the night

31.	偶然	（副、形）	ǒurán	accidentally；accidental
32.	刮目相看		guā mù xiāng kàn	to treat sb with increased respect；look at a person with new eyes
33.	担当	（动）	dāndāng	undertake
34.	重任	（名）	zhòngrèn	important task
35.	升职		shēng zhí	to be promoted to a higher position
36.	薪	（名）	xīn	salary
37.	红人	（名）	hóngrén	favorite；favorite person of sb. in power
38.	重视	（动）	zhòngshì	to attach importance to；to think much of；to put，lay and place emphasis on；to regard highly
39.	能力	（名）	nénglì	faculty；ability
40.	足	（形）	zú	sufficient
41.	埋怨	（动）	mányuàn	to complain；to blame
42.	态度	（名）	tàidu	attitude；manner
43.	犯	（动）	fàn	to make（or commit）a mistake

三 注释 Zhùshì ⬤ Notes

（一）**我们头儿一点也不把我放在眼里**…… I deserve a better deal from my boss.

（Lit：My boss does not have me in his eyes at all.）

"不把……放在眼里"的意思是：看不起、轻视。

"不把……放在眼里" means to look down upon or despise.

（二）**君子报仇，十年不晚** Lit：The gentleman can wait for ten years for his chance

"君子"指人格高尚的人。该成语的意思是，一个高尚的人要报仇的话，要注意积蓄力量，善于抓住时机，不可随便行事。

"君子" refers to a man of noble character, or gentleman. This expression means that if a "君子" wants to revenge, he needs to store up his strength, be patient and wait for the right chance.

（三）我已经成公司的红人了　Now I have a feeling of being important to my company

"红人" 是指受领导信任重用的人。

"红人" means a person who is trusted by or is a favorite of his/her boss.

四　词语用法 Cíyǔ yòngfǎ ● Usage ·····················

（一）弄　do, handle, get, etc

代表一些动词，有"做"、"干"、"办"等意思。具体意思要根据语境推断。

"弄" may be used as a substitute for the verbs "做", "干", "办", etc. Its meaning is dependent on the context.

(1) 你对你们公司的业务完全弄清楚了吗？　（弄 = 了解、调查）

(2) 我给你们弄了几个菜，你们喝几杯吧。　（弄 = 做）

(3) 我的电脑又死机了，你帮我弄弄吧。　（弄 = 修理）

(4) 一定要把这个语法弄懂。　（弄 = 研究、学习）

(5) 他把我的相机弄坏了。　（说不清楚的动作）

(6) 我给你弄来一盆花。　（弄 = 想法得到）

（二）搞　do, work out, get, engage in

做、干。可带"了"、"着"、"过"，可重叠。可带名词宾语。"搞"常代替各种不同的动词。随宾语的不同而有不同的意义。

"搞" may be followed by "了", "着", "过". It can be reduplicated, and can take a noun as its object. "搞" is often used as a substitute for various verbs, and its meaning varies with the object it takes.

(1) 我建议你先把他们的文件和公司组织完全搞通。

（搞 = 调查、了解、研究）

（2）在一家公司搞电脑软件设计。 （搞＝做、从事）

（3）这个问题一定要搞清楚。 （搞＝想、考虑、调查、研究）

（4）我搞到了一张星期日晚上的足球票。 （搞＝想办法得到）

（5）这个工作不好搞。 （搞＝做、干）

（三）甚至 even

A 放在并列的名词、形容词、动词、介宾短语、小句的最后一项之前，突出这一项。

"甚至" is placed before the last item of parallel nouns, adjectives, verbs, prepositional phrases in a clause and emphasizes this item.

（1）我建议你先把他们的一切贸易技巧、商业文件和公司组织完全搞通，甚至连怎么修理打印机、复印机的小毛病都学会。

（2）在城市，在农村，甚至边远山区，打国际电话也很方便。

（3）学得好的留学生，甚至可以听懂中文广播了。

（4）冬天这里参加冬泳的人很多，有年轻人，有老人，甚至还有七八岁的孩子。

B 强调突出的事例。后面常用"都、也"配合。有时可以放在主语前。

It is used to emphasize a fact and is often followed by "都" or "也"; sometimes it is put before subjects.

（5）过去不要说买汽车，买房子了，甚至连电视也买不起。

（6）我来了快半年了，去的地方很少，甚至连长城也没去过。

（四）以后 after, afterwards; later, ever since

比现在或某一时间晚的时间。

"以后" indicate a time later than now (or a time specified).

（1）你把他们的公司当作免费学习的地方，什么东西都搞通了以后再走。

（2）我们俩毕业以后，就再没见过面。

（3）我现在要去上课，我们以后再说吧。

（4）从此以后，他刻苦学习，掌握了公司的全部业务。

比较："以后"和"后来"

Compare："以后"（after）and"后来"（after that）

"以后"可以跟在名词、动词或小句后边，表示过去，也可表示将来。"后来"则只能单用，只表示过去。

"以后"may be used after a noun, verb or clause to indicate both the past and the future. "后来"can only be used by itself to indicate the past.

（1）我们俩去年在一个班学习，后来（以后）她就回国了。

（2）来中国以后，我就住在他家。

　　不能说：＊来中国后来……

（3）我明年大学毕业，大学毕业以后我就参加工作。

　　不能说：＊大学毕业后来……

（五）却 but, yet

表示转折。用在动词前面作状语，但不能放在主语前。

"却"is used as an adverbial before verbs to indicate a turn in meaning. It cannot be placed before a subject.

（1）当初你的老板不重视你，是因为你的能力不足，却又不努力学习。

（2）她学习的时间不长，进步却很快。

（3）虽然也有点儿想家，但是我却不感到寂寞。

（4）外边很冷，屋子里却很暖和。

　　不能说：＊外边很冷，却屋子里很暖和。

（六）偶然 accidental; accidentally

可以在句子中作状语，也可以作定语。

It may function as an adverbial or a subject in a sentence.

A. 不是必然的　not inevitable

（1）一年之后，那位朋友偶然遇到他，就说："你现在大概都学会了，可以准备辞职不干了吧？"

（2）一个偶然的机会，我去了一趟新疆。

（3）事故的发生很偶然。

（4）这是一个偶然事件。

B. 不是必然地　not inevitably

（5）我偶然想起了他。

（6）这件东西是我打扫房间时偶然发现的。

五 练习 Liànxí ● Exercises ··············

1 语音　Phonetics Exercises

（1）辨音辨调　Pronunciations and tones

反问	fǎnwèn	访问	fǎngwèn
甚至	shènzhì	称职	chènzhí
修理	xiūlǐ	秀丽	xiùlì
不足	bùzú	补足	bǔzú
埋怨	mányuàn	满眼	mǎn yǎn
重视	zhòngshì	充实	chōngshí

（2）朗读　Read out the following idioms

学而不厌，诲人不倦　xué ér bú yàn, huì rén bú juàn

学然后知不足　xué rán hòu zhī bù zú

君子之交淡如水　jūnzǐ zhī jiāo dàn rú shuǐ

良药苦口利于病，　Liáng yào kǔ kǒu lì yú bìng,

忠言逆耳利于行。　Zhōng yán nì ěr lì yú xíng.

② 词语　Read out the following phrases

修理复印机	修理自行车	刻苦学习	刻苦研究
偶然遇到	偶然发现	能力不足	力量不足
埋怨领导	埋怨别人	辞职不干	免费学习

③ 选词填空　Choose from the following words to fill in the blanks

A. 辞职　甚至　偶然　改天　修理　埋怨　刻苦　不足　满意
重视　建议　刮目相看

(1) 他对这里的环境很_____，既安静又干净。

(2) 今天实在没有时间，我们_____再说吧。

(3) 他已经不在这个公司了，听说他_____了。

(4) 他接受了朋友的_____，从此刻苦学习，终于把公司的业务弄通了。

(5) 这个故事在中国很有名，_____连孩子都知道。

(6) 我的车子有点儿毛病，请你给_____一下。

(7) 年轻人只要_____学习，就没有学不会的。

(8) 这本书我是在旧书店_____里发现的。

(9) 留学几年回来，真要对他_____了。

(10) 一个国家只有_____教育，重视人才，才有希望。

(11) 现在让他做这么重要的工作，他的能力还_____。

(12) 做错了事要先检查自己，不要去_____别人。

B.

(1) 这件事你不要把它放_____心上。

　　A. 到　　　B. 在　　　C. 上　　　D. 进

(2) 听了他的话，我赶忙把他_____在怀里，我觉得这孩子像

· 125 ·

泉水一样纯洁可爱。

    A. 抓　　　　B. 握　　　　C. 抱　　　　D. 拉

(3) 我感觉他_____我越来越不好了，所以准备跟他分手。

    A. 对于　　　B. 给　　　　C. 跟　　　　D. 对

(4) 请你替我_____老师请个假，就说我今天有点儿不舒服。

    A. 给　　　　B. 向　　　　C. 对　　　　D. 朝

(5) 她是这样一个人，在大家面前，她_____喜欢多说话，但
是只要你有事需要帮助的时候，她总会第一个站出来帮助你。

    A. 从此　　　B. 从来　　　C. 从不　　　D. 经常

④ 完成句子　Complete the following sentences

(1) _____，我还不太清楚。　　　　　　（对于）

(2) 我对中国的情况不太了解，_____。（甚至）

(3) 她不爱旅行，来中国这么长时间_____。（甚至）

(4) 我先在这儿学习一年汉语，_____。（以后）

(5) 他对我说，他今天一定来，可是_____。　（却）

(6) 我喜欢坐火车去旅行，坐火车_____，_____。

                                （既……又……）

⑤ 完成会话　Complete the following dialogues

(1) A：你是不是想辞职？

    B：是的，_____。　　　　　　（满意）

(2) A：你怎么那么不喜欢你们的领导？

    B：我当然不喜欢他了，_____。　（不放
在眼里）

(3) A：我建议你先不要忙着辞职，你应该把这个公司的业务都
学会了再辞职，_____。　　（甚至）

    B：我再想想。

(4) A：你的眼睛怎么那么红，是不是病了？

B：没事，_____。 （开夜车）

(5) A：我现在又不想辞职了。

B：为什么？

A：我觉得我们头儿对我不错，什么事都跟我商量，最近还给我加了薪。

B：哈哈，_____。 （料到）

6 连句成段　Link the sentences into paragraphs

(1) A. 所以，还必须掌握每个词在交际中的用法，了解它在此时此地的意思

B. 但是，只了解一个词的表面意义是不够的

C. 因为一种语言的词汇，除了表面意义以外、还有语境义、交际义和文化义等

D. 学习一门外语，就要了解和掌握这种语言的词汇

_____

(2) A. 因为平时在自己国家用外语讲话的机会很少

B. 自己的外语能力会提高得很快

C. 要学好一门外语，我认为最好是到说那种语言的国家去学习

D. 如果能够生活在好的语言环境中

E. 因此，我决定出国去留学

_____

7 改错句　Correct the sentences

(1) 他已经辞职工作，接着就要去中国留学。

_____

(2) 他想让老师刮目相看他。

_____

(3) 一般的中国电影他不太喜欢，但这个电影却她很喜欢。

_____

(4) 我虽然很爱她，却她不喜欢我，没办法。

_____

(5) 我没有给妈妈打电话，妈妈对我很埋怨。

_____

(6) 北京比香港骑自行车有点儿容易。

_____

8 情景表达　Language and context

A. 下面的话可能是在什么情况下说的？

(1) 他一点也不把我放在眼里。

(2) 君子报仇，十年不晚。

(3) 我早就料到会这样。

B. 下列情景应该怎么说？

(1) 你对这儿的生活已经习惯了，觉得各方面都不错，你怎么向别人说这种感觉？ （满意）

(2) 你刚到一个公司，谁也不认识，觉得大家都不把自己放在眼里，这时你感觉怎么样？怎么说出这个感觉？

(3) 你想向公司提出辞职，该怎么说？

9 综合填空　Fill in the blanks

从头再来

　　一个美丽的早晨，你早早地起床，走①_____办公室，准备迎接新的一天的工作。你是那么热爱你的工作，因为你在这个公司干②_____20年了，上上下下的关系都不错。

　　忽然老板打来电话，③_____你马上去一下，电话里他的语调让你感到要有麻烦。在老板的办公室里，他说："非常抱歉，你也知道，公司经营一直不太好，为了能使公司继续生存④_____，经过认真考虑，决定让一部分年龄较大的员工下岗，你是其中之一。"

什么？你用颤抖的手拿⑤_____下岗通知书，简直不敢相信这是真的。

这时，你怎么办？你会感到不安，这很正常。你会问"为什么是我？"觉得不公平，但谁说这个世界是公平⑥_____！

别为自己难过，因为你周围的人可能会同情你，但没有用。你也不用埋怨老板，他们也有他们的难处。这时，重要的是自己要有信心。既然你不希望别人看到自己的失败，你就必须在痛苦之后，振作⑦_____，只要你有信心，相信自己的能力，即使没有什么能力，还可以学习，谁说四十岁以后就不能重新学习了？天下的路有千条万条，只要你做好了准备，那么你就信心十足地上路吧。不过是从头再来。

明天的早晨说不定会⑧_____美丽。

补充生词　Supplementary words

1.	抱歉	bàoqiàn	sorry；regretful
2.	经营	jīngyíng	to manage
3.	生存	shēngcún	to live
4.	颤抖	chàndǒu	to shiver；to shake
5.	公平	gōngpíng	fair；just
6.	同情	tóngqíng	to feel for
7.	振作	zhènzuò	to bestir（or exert）oneself
8.	即使	jíshǐ	even if

Lesson 11

第十一课	我看见了飞碟

一 课文 Kèwén ● Text ···

八月二十五日，在新疆，我看见了飞碟

当时我们正在新疆的福海县。这里离乌鲁木齐有六百公里，是个非常美丽的地方，有山有水，有森林和草原，还有味道鲜美的手抓羊肉。我们几个从大城市来的人到了这里，就像进了仙境，大家都很激动。

新疆与北京的时差大约是两个小时。晚上北京时间十点多，在新疆也就是八点多。八月二十五日那天，天气非常好。晚上九点左右太阳才落下去。吃了晚饭，我和作家大刘一起回到宾馆。忽然，听见外边有人急促地叫着："快，快出来看！"

大刘连忙跑出去了。我不知发生了什么事，仍然低着头在发手机短信。这时，大刘又马上回来，用力敲着我的门大叫："快，快出来！"我马上意识到发生了不寻常的事情。于是，我和房间里的人立即跑了出去。

一出来我们便惊呆了，大家不约而同地叫了一声"飞碟！"然后就一动不动地望着天空。

只见天上横着一条巨大的光束。一个飞碟快速地自转着，好像悬在了空中。那橙红色的光亮十分耀眼。飞碟自转的时候，带出了两条明显的白色涡流。它那橙红发亮的碟体，照亮了整个西北天空，真是太神奇了！这时有人着急地说："相机呢？相机呢？"又有人无奈地回答："我们全是'傻瓜'呀！"

我们几个人带的全是"傻瓜"照相机，在这手忙脚乱的时候也不知道放在什么地方了，大家谁也不愿意离开一会儿，都明白这是个难得的机会。

突然，飞碟朝我们这边儿直冲下来。我以为它要降落了，可飞碟却停住了，又向高空慢慢飞去。然后一闪，变成了一个星星一样的亮点儿。接着又一闪，不见了。从一个唱片大小的碟子只是一闪就变成了一个小亮点儿，这是多么快的速度啊！只是它留下的光束在空中亮了半天才一点点地暗下去。差不多一个小时以后，天空才渐渐恢复到原来的一片蓝色。

这天晚上，我们一个个都兴奋极了。彼此问："相信有飞碟吗？"又彼此回答："从此相信了。"

"如果那一刻飞碟下来要带你走，你去吗？"

"去！"

多么痛快的回答！

已经很晚了，可我还久久不能入睡。我相信飞碟的存在。我相信在宇宙中间，不只是地球上才存在高智能生物。我相信这个世界存在着无数的可能性。

（根据池莉的文章改写）

回答课文问题 Answer the questions

（1）故事发生在什么时间？什么地方？

（2）那儿的风景怎么样？

（3）大刘叫"我"的时候"我"正在做什么？

（4）大刘为什么叫"我"？

（5）他们看见了什么东西？

（6）课文是怎么描述飞碟的？

二 生词 Shēngcí ● New Words

1.	飞碟	（名）	fēidié	UFO（Unidentified Flying Object）
2.	县	（名）	xiàn	county
3.	森林	（名）	sēnlín	forest
4.	草原	（名）	cǎoyuán	grasslands；prairie
5.	味道	（名）	wèidao	taste
6.	鲜美	（形）	xiānměi	delicious；tasty
7.	抓	（动）	zhuā	to grab；to seize；to clutch；to catch；to arrest
8.	羊肉	（名）	yángròu	mutton
9.	仙境	（名）	xiānjìng	fairyland；wonderland
10.	激动	（形）	jīdòng	exciting
11.	太阳	（名）	tàiyáng	sun
12.	作家	（名）	zuòjiā	writer

13.	急促	（形）	jícù	hurried; rapid
14.	连忙	（副）	liánmáng	hastily; hurriedly; promptly
15.	用力		yòng lì	to exert oneself (physically); to put forth one's strength
16.	意识	（动）	yìshi	to awake to; to realize
17.	寻常	（形）	xúncháng	usual; ordinary
18.	惊呆		jīng dāi	to be stunned; to be stupefied
19.	不约而同		bù yuē ér tóng	without prior consultation, (two persons) do or think the same; to happen to coincide
20.	天空	（名）	tiānkōng	sky
21.	只见	（动）	zhǐjiàn	only see
22.	巨大	（形）	jùdà	huge
23.	光束	（名）	guāngshù	light beam
24.	快速	（形）	kuàisù	speedy
25.	自转	（动）	zìzhuàn	to rotate
26.	悬	（动）	xuán	to hang
27.	橙红	（形）	chénghóng	orange (colour)
28.	光亮	（名）	guāngliàng	light
29.	耀眼	（形）	yàoyǎn	dazzling
30.	明显	（形）	míngxiǎn	obvious
31.	涡流	（名）	wōliú	whirl
32.	发亮		fā liàng	shiny
33.	照亮		zhào liàng	to light up; to illuminate
34.	神奇	（形）	shénqí	magical; mystical
35.	无奈	（形）	wúnài	helpless; there is no way out; having no alternative
36.	傻瓜	（名）	shǎguā	fool

37. 手忙脚乱		shǒu máng jiǎo luàn	in a frantic; rush; in a great fluster
38. 明白	（动、形）	míngbai	to know; to understand; sensible; clear;
39. 难得	（形）	nándé	rare; hard to come by
40. 朝	（介）	cháo	indicating the direction of a movement(towards; in the direction of)
41. 直	（副、形）	zhí	directly; straight
42. 冲	（动）	chōng	to rush
43. 降落	（动）	jiàngluò	to land
44. 闪	（动）	shǎn	to twinkle
45. 星星	（名）	xīngxing	star
46. 碟子	（名）	diézi	small plate
47. 速度	（名）	sùdù	speed
48. 渐渐	（副）	jiànjiàn	gradually; by degree; little by little
49. 恢复	（动）	huīfù	to resume; to restore
50. 彼此	（代）	bǐcǐ	each other; one another
51. 痛快	（形）	tòngkuai	simple and direct
52. 入睡	（动）	rùshuì	to fall asleep
53. 宇宙	（名）	yǔzhòu	universe
54. 地球	（名）	dìqiú	the earth
55. 存在	（动）	cúnzài	to exist
56. 智能	（名）	zhìnéng	intelligence
57. 生物	（名）	shēngwù	living thing; living being
58. 无数	（形）	wúshù	innumerable; countless
59. 可能性	（名）	kěnéngxìng	possibility

1. 新疆　　　　Xīnjiāng　　　　*Xinjiang Uygur Autonomous Region*

2. 福海县　　　Fúhǎi Xiàn　　　*Fuhai County*

3. 乌鲁木齐　　Wūlǔmùqí　　　*Urumqi, the capital of Xinjiang*

三　注释 Zhùshì　● Notes ………………………………………

手抓羊肉

新疆维吾尔族的一种食品。

It is a kind of mutton eaten with the fingers instead of chopsticks or forks, which is peculiar to the Uygur nationality.

四　词语用法 Cíyǔ yòngfǎ　● Usage ……………………………

（一）大约　approximately

表示对数量、时间的不很精确的估计 。

"大约" is used to make an approximate estimation of quantity and time.

（1）新疆与北京的时差大约是两个小时。

（2）我们大约十点到那里。

（3）这个房间大约有三十平方米。

（4）参加这次大会的代表大约有两千多人。

（二）不约而同　（two persons）to do or think the same；to happen to

　　　coincide

没有事先商量而彼此意见和行动一致。常作状语。

"不约而同" means to do or think the same without prior consultation. It is often used as an adverbial.

（1）一出来我们便惊呆了，大家不约而同地叫了一声"飞碟！"

（2）老师一问，同学们不约而同地举起手来要求回答。

（3）我们不约而同地说："同意。"

（4）她们俩不约而同地报名参加了太极拳学习班。

（三）只见 only（see）

用在句前。不能有主语。

"只见" is used at the beginning of a sentence. It cannot take a subject.

（1）大家一动不动地望着天空，只见天上横着一条巨大的光束。

（2）走进阅览室，只见她正在看杂志呢。

（3）只见她大大的眼睛，黑黑的头发，是一个漂亮的姑娘。

（4）爬上山顶往下一看，只见山那边有一条大河。

（四）无奈 helpless；have no alternative；have no choice

Ⓐ（形）没有办法，不得不。也说"无可奈何"。

As an adjective，"无奈" means "can do nothing but"，"have to".

（1）这时有人着急地说："相机呢？相机呢？"又有人无奈地回
答："我们全是'傻瓜'呀！"

（2）A：你不同意，为什么还答应她？
B：咳，我实在是出于无奈。

Ⓑ（连）用在转折句的句首，表示由于某种原因，不能实现上文所说的意
图，有"可惜"的意思。

As a conjunctive，when used at the beginning of a sentence signifying a turn in meaning，it suggests that for some reasons，the intent mentioned in the first clause may not be realized.

（2）我们本来想把这美丽的风景拍下来，无奈照相机里没电了。

（3）今天我们打算去爬山，无奈天下起雨来。

（4）姐姐要结婚，她希望我能回国参加她的婚礼，无奈我们马上

要期末考试，回不去。

表示程度很高。很。用在形容词或动词前面作状语，多用于书面。

"十分" is used to indicate highness in degree（same as very）and is used as an adverbial before an adjective or verb. Mostly used in written language.

（1）一个飞蝶快速自转着，那橙红色的光亮十分耀眼。

（2）留学的机会十分难得，一定要好好珍惜。

（3）看到我的画儿被挂在展览橱窗里，我十分高兴。

（4）这是朋友送给我的生日礼物，我十分喜欢

比较："非常" 和 "十分"

Compare："非常" and "十分"

"非常" 可以重叠，"十分" 不能。

"非常" can be reduplicated，"十分" cannot.

（5）这场杂技表演非常非常精彩。

　　不能说：＊这场杂技表演十分十分精彩。

"十分" 前面可以加 "不"。表示程度较低。"非常" 不能。

"不" can be added before "十分"，indicating lowness in degree. It cannot be used before "非常".

（6）我觉得他这篇小说写得不十分好。

　　不说：＊我觉得他这篇小说写得不非常好。

表示某种状态已经存在并将继续发展。强调继续发展。形容词一般是消极意义的。

"Adjective ＋下去" indicates that an existing condition will further develop，and its emphasis is on the latter part（further development）. Adjectives used in this construction usually have a negative meaning.

（1）它留下的光束在空中亮了半天才一点点地暗下去。

（2）天气要是这么冷下去，我可受不了了。

（3）你不能再瘦下去了，应该多吃点儿。

（4）我们两国的关系只能好起来，不能坏下去。

五 练习 Liànxí ● Exercises

1 语音 Phonetics Exercises

（1）辨音辨调 Pronunciations and tones

飞碟	fēidié	蝴蝶	hútié
鲜美	xiānměi	献媚	xiànmèi
仙境	xiānjìng	先进	xiānjìn
寻常	xúncháng	欣赏	xīnshǎng
只见	zhǐjiàn	之间	zhījiān
天空	tiānkōng	填空	tiánkòng

（2）朗读 Read out the following poem

望庐山瀑布　　　　　Wàng Lú Shān Pùbù

（唐）李白　　　　　　（Táng）Lǐ Bái

日照香炉生紫烟，　　Rì zhào Xiānglú shēng zǐ yān,

遥看瀑布挂前川。　　Yáo kàn pùbù guà qián chuān.

飞流直下三千尺，　　Fēi liú zhí xià sān qiān chǐ,

疑是银河落九天。　　Yí shì Yínhé luò jiǔ tiān.

2 词语 phrases

有山有水	有花有草	有车有船
十分耀眼	十分紧张	十分难过

不约而同　　　　　一动不动　　　　　手忙脚乱

渐渐恢复　　　　　渐渐明白　　　　　渐渐懂得

兴奋极了　　　　　高兴极了　　　　　难过极了

久久不能入睡　　　久久不能忘记　　　久久不能平静

3 选词填空　Choose from the followig words to fill in the blanks

A. 难得　味道　痛快　激动　朝　入睡　不约而同　明显　只见
　　恢复

(1) 这个菜的_____很好，我很喜欢吃。

(2) 听到这个消息他很_____。

(3) 老师问我们愿意不愿意去爬山，同学们_____地回答："愿意。"

(4) 从飞机的窗口向外看，_____一片云海，非常壮观。

(5) 经过几个月的学习，他的汉语水平已经有了_____提高。

(6) 她的手术做得很成功，手术后身体_____得也很快。

(7) 昨天晚上，看了她给我发的伊妹儿我久久不能_____。

(8) 踢完足球，洗了个澡，喝了杯凉啤酒，真_____。

(9) 我房间的窗户_____北，所以见不到太阳。

(10) 对我来说，这次来中国留学是个非常_____的机会。

B.

(1) 秋天到了，树上的黄叶慢慢地落了_____。

　　A. 下来　　　B. 起来　　　C. 下去　　　D. 上来

(2) 我们走着走着，天慢慢地黑了_____。

　　A. 下来　　　B. 起来　　　C. 下去　　　D. 上来

(3) 听到外边有人叫，我连忙跑了_____。

A. 出去　　　　B. 出来　　　　C. 回来　　　D. 下来

(4) 我叫了半天，他也没听见，_____在打着太极拳。

　　A. 当然　　　　B. 仍然　　　C. 既然　　　D. 忽然

(5) _____你看见了，就给我们讲讲飞碟什么样。

　　A. 当然　　　　B. 仍然　　　C. 既然　　　D. 忽然

(6) 这么好的电影，我_____看啦。

　　A. 当然　　　　B. 仍然　　　C. 既然　　　D. 忽然

④ **完成句子**　Complete the following sentences

(1) 我打开窗户，_____。　　（只见）

(2) 我走进展览大厅，_____。　　（只见）

(3) 我正准备给他打电话，_____。　　（忽然）

(4) 一拿到毕业证书，_____。

　　　　　　　　　　　　　　　　　　　　（不约而同）

(5) _____，可他连我的话也不愿意听完。　（以为）

(6) 天已经黑了，星星都出来了，_____。

　　　　　　　　　　　　　　　　　　　（可……还是）

(7) _____，从此忘不了这一段经历。　　（因为）

(8) 这是朋友送给我的生日礼物，_____。　（十分）

⑤ **完成会话**　Complete the following dialogues

(1) A：他这本小说写得好吗？

　　B：_____。　　（十分）

(2) A：你们学校有多少学生？

B：_____。　（大约）

(3) A：昨晚的足球赛你看了吗？

B：看了，当看到我们赢了的时候，_____。

（激动）

(4) A：带照相机来了吗？

B：_____。　（手忙脚乱）

(5) A：妈，我爸爸最近身体好吗？

B：好多了，他出院以后_____。　（恢复）

(6) A：你要去参加他的婚礼吗？

B：_____，因为我下个星期有考试。　（无奈）

6 连句成段　Link the following sentences into paragraphs

(1) A. 发现了一条宽约三十多公里的冰川正在以每年八公里的速度迅速融化（rónghuà：to melt）

B. 报道还说，科学家的这一结论是在对近四年的卫星数据进行研究后得出的

C. 这一发现表明全球气候仍在继续变暖

D. 最近一期《科学》杂志报道说，科学家对南极的卫星图像进行了研究

_____

(2) A. 为了能让孩子们受点教育，她轮流（lúnliú：to take turns）送他们去上学。老师发现：三个孩子中每次只有一个来上课，而且都穿那条裤子

B. 一天，老师给我们讲了这样一个故事：南方一个贫困的山村有一个母亲，她有三个孩子，但她穷得只能给三个孩子做一条裤子

C. 后来，三个孩子一个成了大学教授，一个成了著名的医生，一个当了电脑工程师

D. 这位母亲为了让孩子读书，吃了不知道多少苦，但她从来不觉得自己苦，看到自己的孩子一个个学习都很努力，她感到很高兴

---

7 **改错句** Correct the sentences

(1) 因为是个新电影，大家都手忙脚乱地买票看。

_____

(2) 秋天一来，有各种各样的水果在街路上。

_____

(3) 我走路上街的时候，被一辆自行车冲伤了。

_____

(4) 我只见天空有很多星星。

_____

(5) 太阳已经降落了，我们快下去山吧。

_____

8 **情景表达** Language and context

A. 下列句子什么时候说？

(1) 看到这种情况我很激动。

(2) 我感觉有一种不同寻常的气氛。

(3) 来中国遇到的这件事令我一生难忘。

(4) 这一刻，我惊呆了，不知道该说什么。

B. 下列情景怎么说？

(1) 你早就想来中国留学，可是因为没有得到奖学金，一直来不了，去年终于得到了中国政府的奖学金，来到了中国，你觉得得到这个机会很不容易。　　　　（难得的机会）

(2) 该上课了，可你的书和本子找不到了，你着急地到处找。
　　　　　　　　　　　　　　　　　　　（手忙脚乱）

(3) 好久没有收到男/女朋友的来信了，今天收到了来信，你很兴奋，晚上很长时间没有睡着觉。　（久久不能入睡）

9 综合填空　Fill in the blanks

我真傻

我们已进入期末考试的紧张时刻，每天都忙①_____团团转。一天，我们班在电脑教室上课。下课②_____，我在课桌上发现一本电脑书，以为是同桌韩玲③_____，可她手里正拿着自己的书。我想，肯定是我们班同学的，干脆先拿回班里去再④_____。在班里我问了个遍，没想到同学们都说没丢电脑书。我就顺手把课本放在了讲台上。

放学了，我背着书包经过讲台旁，又看了一眼那本电脑书，心想看看书中的字迹，也许能认⑤_____它的主人，⑥_____我就翻了一下。翻来翻去，忽然觉得不对劲儿，这笔迹怎么这么熟悉？这不是我的字迹吗？噢！我想起来了：上电脑课时，我看自己的电脑书的书皮破了，就顺手把书皮去掉放在了课桌里，下了课，合⑦_____书就不认识它了，⑧_____大声叫着替它找主人呢。你说我傻不傻？

补充生词　Supplementary words

1. 团团转　tuántuánzhuàn　（of busy or agitated appearance）to move in a circle

2. 干脆　gāncuì　simply；just

3. 顺手　shùnshǒu　easily；conveniently

4. 字迹　zìjì　handwriting

5. 对劲儿　duìjìnr　to be to one's liking

Lesson 12

第十二课	好人难当

一 课文 Kèwén ● Text

忽然发现好人难当，尽管你是诚心诚意的，有时也难免吃力不讨好。

下班骑自行车回家，看到一个小男孩拿着一盒冰淇淋跑过马路，不小心摔倒了，冰淇淋飞出好远。小男孩趴在地上大哭，我连忙下车把他扶起来。这时从路旁的楼里跑出来一个女人，抱着孩子左看右看，一副心疼的样子，我想是孩子的妈妈，就安慰她说，小孩子摔一跤没关系。她双眼一瞪，对我吼道："你骑车也不小心一点儿，这次没摔伤算你走运！"又指着地上的冰淇淋说："赔了冰淇淋你可以走了！"

上午还是晴天，中午却阴得厉害，好像要下雨。见邻居家的被子还在院子里晒着，心想，他们是双职工，恐怕不能回来收，就把被子抱进自己的单身宿舍里，免得被雨淋湿。

下午突然接到通知，要我陪领导去外地检查工作。第五天回到宿舍，才想起邻居家的被子。连忙去还，邻居却说，以为被小偷偷走了，就又买了一套新的。我只好向人家一遍又一遍地道歉。朋友们知道了，都说我是个"马大哈"。

去逛公园，看见林荫道上一对青年男女手拉着手在散步，叫人好不美慕。忽然发现姑娘的裙子后边拉链没拉上，很不好看。该不该告

诉她？我犹豫着。游人越来越多，我替那姑娘着急，心一横就上前说

了，那男的却把眼一瞪：“这么大的公园，这么多的风景你不看，却看人家姑娘的拉链，你无聊不无聊！”

去修自行车时，一位漂亮的姑娘推着车过来打气，看她打了半天也打不进去，就说：“我来帮你打吧。”她连声道谢，说：“现在像你这样的好人真是不多了。”我听了十分得意，手中的气筒压得更加起劲，还想再和她多聊几句，不料，“嘭”的一声——把车胎打爆了……

（根据林小龙文章改写）

回答课文问题 Answer the questions according to the text

（1）那个孩子的妈妈为什么对他吼？

（2）朋友们为什么说他是个“马大哈”？

（3）在公园里他为什么被误解？

（4）他是怎么把姑娘的自行车胎打爆的？

二 生词 Shēngcí ● New Words

1. 尽管	（连）	jǐnguǎn	although；even if
2. 诚心诚意		chéngxīn chéngyì	earnestly and sincerely

3. 难免	（形）	nánmiǎn	unavoidable；bound to happen
4. 吃力不讨好		chīlì bù tǎohǎo	to work hard but get little thanks；to spare no pains but get no gains；to get no thanks for one's hard work
吃力		chī lì	strenuous；painstaking
讨好		tǎo hǎo	to have one's effort rewarded；to bow and scrape
5. 趴	（动）	pā	to lie on one's stomach
6. 心疼	（动）	xīnténg	to love dearly
7. 安慰	（动、名）	ānwèi	to comfort；to console；to feeling comforted；to feeling encouraged
8. 双	（量）	shuāng	(classifier) pair
9. 瞪	（动）	dèng	to glare；to stare
10. 吼	（动）	hǒu	to shout
11. 道		dào	to say；to talk；to speak
12. 走运		zǒu yùn	to have good luck；to be in luck
13. 指	（动）	zhǐ	to point at
14. 赔	（动）	péi	to pay for；to compensate
15. 晴	（形）	qíng	sunny；clear；fine
16. 阴	（形）	yīn	overcast；cloudy
17. 被子	（名）	bèizi	quilt
18. 双职工	（名）	shuāngzhígōng	working couple
19. 收	（动）	shōu	to bring in；to gather together
20. 单身	（名）	dānshēn	single；unmarried
21. 免得	（连）	miǎnde	so as not to；so as to avoid
22. 以为	（动）	yǐwéi	to think；to believe
23. 道歉		dào qiàn	to be apologetic；to make an apology after realizing one is in the wrong

24. 马大哈	（名）	mǎdàhā	careless and forgetful person
25. 逛	（动）	guàng	to go out for an airing; to stroll
26. 林荫道	（名）	línyīndào	avenue; boulevard
27. 好不	（副）	hǎobù	very; extremely
28. 拉链	（名）	lāliàn	zipper
29. 横	（动）	héng	to steel (one's heart)
30. 推	（动）	tuī	to push
31. 打气		dǎ qì	to inflate; to pump up (ball or tire, etc.); to encourage
32. 连声	（副）	liánshēng	to say repeatedly; to say again and again
33. 道谢		dào xiè	to express thanks
34. 得意	（形）	déyì	pleased with oneself; proud of oneself
35. 气筒	（名）	qìtǒng	inflator
36. 压	（动）	yā	to press
37. 更加	（副）	gèngjiā	more
38. 起劲	（形）	qǐjìn	energetic; enthusiastic (in work, games, etc.)
39. 嘭	（象）	pēng	bang
40. 车胎	（名）	chētāi	inner tube; type
41. 爆	（动）	bào	to explode

三 注释 Zhùshì ● Notes ··················

（一）吃力不讨好 arduous but thankless

为某事用了很多时间和精力，但是没有得到好的评价。

Spending a lot of time and effort on something, but is not appreciated.

（二） 心一横就上前说了　I steeled myself, went up and told them.

"心一横"表示下决心，不顾一切。

"心一横"：determined and regardless of the consequences.

（三） 好不羡慕　how envious (it makes one feel)

好不＋形，表示肯定，"非常＋形"的意思。限于部分双音节形容词。

"好不 + adjective" indicates affirmation. It means the same as "非常（very, quite）+ adjective". It is limited to some disyllabic adjectives.

四 词语用法 Cíyǔ yòngfǎ Usage ·······················

（一） 尽管　although; despite; feel free to

A. 虽然　although

(1) 尽管他最近身体不太好，但是仍坚持工作。

(2) 尽管我已经长大了，可是在妈妈眼里，我还是个小孩子。

(3) 尽管来了这么长时间了，可是我仍然不习惯早起。

B. 表示没有条件限制，可以放心去做　feel free to

(4) 你们有问题尽管问老师。

(5) 有什么话尽管说吧，别不好意思。

（二） 难免　unavoidable

不容易避免（出现的情况）。用在动词前，后面常跟"要"、"会"。

"难免" means hard to avoid. It is used before verbs and is usually followed by "要" or "会".

(1) 做事不认真就难免要出问题。

(2) 学习外语，写错，说错都是难免的。

(3) 即使朋友之间也难免看法不同。

（三）**恐怕** perhaps；probably；maybe

表示对情况的估计，有时说话人有担心的意思。作状语。

"恐怕" is used to weigh a circumstance；implying worries on the part of the speaker. It functions as an adverbial.

(1) 看样子他恐怕不会来了，我们别等了。

(2) 我们快走吧，恐怕要下雨。

(3) 她出国恐怕有两年了吧。

（四）**免得** so as not to

多用于后一小句。表示（做了前一分句所说的事情，就可以）避免某种不希望的情况发生。

"免得" is mostly used in the second clause to indicate that with the thing in the first clause done, one may prevent something undesirable from happening.

(1) 骑车上街一定要小心，免得发生事故。

(2) 我病的事你最好不要告诉他，免得他担心。

(3) 带上雨伞吧，免得下雨挨淋。

（五）**以为** think，believe

常用于说话人已知道自己的判断与事实不符之后。

"以为" is often used when the speaker has realized that his/her judgment is wrong.

(1) 我以为是小林呢，原来是你啊。

(2) 你没有回国呀，我以为你回国了呢。

(3) 都十二点了，我以为还不到十点呢。

（六）**来** to take；to give；to let

A. 代替意义具体的动词。

"来" is often used as a substitute for specific verbs.

(1) 你拿那个包，这个我自己来。

（2）来两瓶啤酒。

B. 用在另一个动词前面，表示要做某事。

It is used before another verb to indicate that one is going to do something.

（3）我来帮你拿。

（4）你来帮我拉一下。

五 练习 Liànxí ● Exercises ……………………………………

1 语音 Phonetics Exercises

（1）辨音辨调 Pronunciations and tones

诚心	chéngxīn	称心	chènxīn
难免	nánmiǎn	南边	nánbian
吃力	chīlì	视力	shìlì
单身	dānshēn	担心	dānxīn
以为	yǐwéi	意味	yìwèi
安慰	ānwèi	安危	ānwēi
得意	déyì	特意	tèyì

（2）朗读 Read out the following proverbs

有理走遍天下， Yǒu lǐ zǒu biàn tiān xià,

无理寸步难行。 Wú lǐ cùn bù nán xíng.

真金不怕火炼。 Zhēn jīn bú pà huǒ liàn.

有志者事竟成。 Yǒu zhì zhě shì jìng chéng.

2 词语 Read out the following phrases

别摔着	别碰着	别扎着
拉上拉链	拉开拉链	拉上窗帘
诚心诚意	真心真意	一心一意

去逛公园　　　　去逛商店　　　　去逛书店

好不美慕　　　　好不得意　　　　好不高兴

十分得意　　　　十分满意　　　　十分满足

打不进去气　　　踢不进去球　　　看不进去书

③ 选词填空 Choose from the following words to fill in the blanks

A. 美慕　免得　走运　难免　吃力　以为　诚心诚意　安慰

(1) 她是＿＿＿＿＿＿＿＿＿想帮助你，你不要辜负（gūfù：fail to live up to）了她的好心。

(2) 刚到一个新环境，＿＿＿＿＿有点儿不习惯。过一段时间就好了。

(3) 她学习上有点儿＿＿＿＿＿。

(4) 你要去不了就快给他打个电话，＿＿＿＿＿他等你。

(5) 不要＿＿＿＿＿你不懂的别人也不懂。

(6) 我感到难过的时候，她总来＿＿＿＿＿我。

(7) 我真＿＿＿＿＿他，这么年轻就取得这么大的成绩。

(8) 这场球他们队不太＿＿＿＿＿，有几个该进的球都没有踢进去。

④ 完成句子 Complete the following sentences

(1) 学习汉语真不容易，尽管很努力，＿＿＿＿＿＿＿＿。（难免）

(2) ＿＿＿＿＿＿＿＿＿，但是她仍然坚持了下来。（尽管）

(3) 外边很冷，出门一定要多穿点儿，＿＿＿＿＿＿。（免得）

(4) 你看天阴得多厉害，＿＿＿＿＿＿＿＿。（恐怕）

(5) ＿＿＿＿＿＿＿＿＿，原来她也是老师。（以为）

(6) ＿＿＿＿＿＿＿＿，没想到你回来得这么早。（以为）

⑤ 完成会话 Complete the following dialogues

(1) A：有的句子我听得懂，但是说不出来。

B：_____。　（难免）

（2）A：你听天气预报了没有，今天有雨吗？

　　B：有雨，你带上雨伞吧，_____。　（免得）

（3）A：我不是中国人，不知道这个地方。

　　B：对不起，_____。　（以为）

（4）A：今天下午的会你能参加吗？

　　B：_____。　（恐怕）

（5）A：他年龄大了，学习外语有点儿吃力。

　　B：_____。　（尽管）

（6）A：这个箱子太重了，我提不动。

　　B：我_____。　（来）

6 **连句成段** Link the following sentences into paragraphs

（1）A. 雷锋（Léi Fēng）能够成为中国人心中的英雄，主要是因为他有助人为乐的品质

　　B. 雷锋告诉了我们人生的全部意义：自己活着是为了让别人生活得更美好

　　C. 你问我，我是一个外国老板，为什么我的桌子上会摆着一个雷锋的雕像（diāoxiàng：statue）

　　D. 我想，你如果知道雷锋是谁，你如果看过这本书，你就会明白，为什么雷锋能受到中国人的称赞，为什么我这个老外也要向雷锋学习

　　E. 你就会找到问题的答案，说不定你也会对书中的主人公雷锋这个人产生兴趣

　　_____

（2）A. 站在地上望它，它像一个大盖子

　　B. 很好地保护着我们的地球，使我们人类能够在这里生存

　　C. 大气层是贴近地球表面的一层空气

D. 它不仅把地球装饰得这么美丽，而且还是一道天然的保护层

E. 飞到别的星球上看它，它像盖住地球的一层轻纱

---

7 改错句　Correct the sentences

(1) 他得意他的汉语说得很好。

_____

(2) 我要赶快交作业及时，免得老师批评。

_____

(3) 纪念碑前的鲜花表示人们对烈士人的羡慕。

_____

(4) 我很吃力地考试，但是成绩不太好。

_____

(5) 你再告诉他，难免他忘了。

_____

(6) 因为我碰了他，赶快道歉他说："对不起。"

_____

8 情景表达　Language and context

A. 下列句子什么时候说?

(1) 这真是吃力不讨好。

(2) 我连忙向她道歉。

(3) 你真是个"马大哈"。

B. 遇到下列情况怎么说?

(1) 丈夫要出门，妻子要他带上雨伞，怎么说?　　　（免得）

(2) 有人问你，玛丽今天回来不回来，你认为她可能回不来，

怎么说？　　　　　　　　　　　　　　　　　　（恐怕）

（3）你想今天是星期三，实际上是星期四，怎么说？　　（以为）

9 综合填空　Fill in the blanks

春天的故事

听到门响，知道是丈夫回来①_____。

"晚上车顺利吧？"

没有回答，想是有话要说，我便抬起头来。

"挺顺利的。"丈夫说。目光却望②_____窗外。

"车上有一个女孩儿，好像没来过这边儿，问方村还有几站，我告诉了她，一起下车后，见她犹犹豫豫地四处张望，我很想问她去哪儿，为她指路或送她一段。可是还是走开了。怕她把我③_____坏人，搞得不愉快。"

说完了，丈夫那表情好像做错了什么事似的，没再说话。

窗外，雨还在轻轻地下着，风吹了进来。今年的春天有些特别，代替往年那漫天黄风的是几场不大不小的春雨。虽然人们有点儿抱怨，但那树枝却诚心诚意地绿了起来。不知不觉中，我的心里突然有一股不是痛苦，不是甜蜜，不是感伤，不是欣喜的滋味。

几天前，也是这样一个下雨的晚上，从朋友家出④_____，到车站坐车回家。在风雨中我拉紧了衣领，来回走着，着急地等着车，心想，车来之前一定会被淋成个落汤鸡。忽听身边一个很低却很清晰的男声说："站到这伞下来吧。"我忽然收住了脚，"哦，不！"我本能地回答那黑暗中的声音，却没再动。陌生男人转过脸对着马路，过了几秒钟又说："站过来吧！雨下⑤_____这么大！"不知是这声音里的命令意味，还是那高大的个子在沉默中显示的魅力，⑥_____我产生了想冒险的冲动，于是迈了一步站到了他的伞下。听得到自己心里咚咚直跳，装作很镇静地抬头看看那伞。那伞已经破了，雨水滴到陌生男人的肩上，那张脸仍镇静地面对马路。车很快就来了，我这才松了一口气，轻声地道了谢，⑦_____头也不回地跳上车，感受到的仍是背后的目光。

窗外仍然是细细的雨声。

这时我也开始胡思乱想⑧_____来，那小女孩儿是否被淋湿了？她是否顺利地找到了要去的地方？不知那低声男子是否还记得，那天在车站他的好意换来的是我的一脸警惕？不知他后来是否还肯在黑夜中与淋湿的路人共享一些温暖？真愿大家都能多一些爱心，少一些戒心，多一些信任，少一些怀疑。

有了这场春雨，今年的春天会更美，我想。

补充生词　Supplementary words

1.	漫天	màntiān	all over the sky
2.	抱怨	bàoyuàn	to complain
3.	清晰	qīngxī	clear
4.	甜蜜	tiánmì	sweet；happy
5.	感伤	gǎnshāng	sad
6.	欣喜	xīnxǐ	glad；joyful
7.	沉默	chénmò	silent；quiet
8.	魅力	mèilì	charm
9.	冒险	mào xiǎn	to risk；to take a chance on
10.	冲动	chōngdòng	to get excited
11.	镇静	zhènjìng	to calm down；cool
12.	胡思乱想	hú sī luàn xiǎng	to give way to foolish fancies
13.	戒心	jièxīn	vigilance
14.	信任	xìnrèn	to trust
15.	怀疑	huáiyí	to doubt

Lesson 13

<table>
<tr><td>第十三课</td><td>百姓话题</td></tr>
</table>

一 课文 Kèwén ● Text

本报从今天起开办《百姓话题》专栏，让老百姓来讲述自己的故事，反映老百姓的生活，欢迎大家积极投稿。

姓名：高明

性别：男

职业：外地打工青年

出来快一年了，特别想家，想爸爸妈妈。我在家是老大，下面还有一个弟弟、一个妹妹。我们家生活挺好的，以种地为主，兼搞一些副业。家里有电视机、洗衣机。我高中毕业就出来了。在家千日好，出门一时难。出来总没有在家好。要自己照顾自己，要自己洗衣服，还要学习怎么跟周围的人打交道。总之，挺难的。不过我想，这对我也是个锻炼，一个人总不能靠父母过一辈子，总得自立。想到这儿，心情就好一点儿。

姓名：李文

性别：男

职业：电视台编辑

单亲家庭的日子不好过。离婚后，儿子跟了我，我很高兴。但一个男人抚养一个孩子，家务事就够我为难的，想出去玩玩，哪怕是看一场电影都不行。一下班就得赶快往家里跑，特别怕孩子出事。休息日得给儿子复习功课，自己的能力不够，给儿子请了个家教。孩子今年考初中，晚上连电视我都不敢看，怕影响儿子学习。好在孩子还算听话，功课也不错。我自己的事三年内不考虑，等孩子大点儿，懂事了再说。

姓名：克风

性别：男

职业：歌手

最初来北京是想考中央戏剧学院，没有考上，就留在北京当了歌手。一留就是四年。家中只有母亲一人，春节前又摔伤了。我一岁多父亲就去世了，母亲一个人把我们姐弟三人抚养大。我想把母亲接到北京来，可我们歌手的工作、生活都不安定，母亲知道了反而更伤心；回到母亲身边去吧，我现在一没有成就二没有钱，实在没脸回去见同学朋友。同事们都说我是不孝之子，我知道我不是不孝，其实我心里挺苦的。

回答课文问题 Answer the questions according to the text

(1) 打工青年高明为什么觉得自己"挺难的"？

(2) 电视台编辑李文的日子过得怎么样？他现在为什么不想解决自己的个人问题？

(3) 歌手克风为什么不把母亲接到自己身边？他是不孝吗？

1. 百姓　　（名）　　bǎixìng　　common people

2. 老百姓　（名）　　lǎobǎixìng　　common people

3. 本　　　（代）　　běn　　one's own；native；this；our

4. 起　　　（动）　　qǐ　　from；preceded by

5. 开办　　（动）　　kāibàn　　to start or run

6. 专栏　　（名）　　zhuānlán　　column

7. 讲述　　（动）　　jiǎngshù　　to tell

8. 反映　　（动）　　fǎnyìng　　to reflect

9. 投稿　　　　　　tóu gǎo　　to contribute articles（to a newspaper or magazine）

10. 姓名　　（名）　　xìngmíng　　family name and given name；full name

11. 性别　　（名）　　xìngbié　　gender；sex

12. 职业　　（名）　　zhíyè　　occupation

13. 老大　　（名）　　lǎodà　　eldest child

14. 种地　　　　　　zhòng dì　　to engage in farming；to be a farmer

　　地　　　（名）　　dì　　field；land

15. 以…为主　　　　yǐ…wéi zhǔ　　to take…as the main…

16. 兼　　　（动）　　jiān　　simultaneously；concurrently

17. 副业　　（名）　　fùyè　　sideline；side occupation

18. 高中　　（名）　　gāozhōng　　senior high school

19. 一时　　（名）　　yìshí　　a moment

20. 照顾　　（动）　　zhàogù　　to look after

21. 总之　　（连）　　zǒngzhī　　after all

22. 一辈子	（数量）	yíbèizi	all one's life
23. 总得	（副）	zǒngděi	must; have to; necessary
24. 自立	（动）	zìlì	to stand on one's own feet
25. 编辑	（名、动）	biānjí	editor; to edit
26. 单亲	（形）	dānqīn	one-parent
27. 为难	（动）	wéinán	to feel awkward
28. 家务	（名）	jiāwù	household duties
29. 哪怕	（连）	nǎpà	even if
30. 出事		chū shì	to meet with a mishap
31. 家教	（名）	jiājiào	family tutor
32. 初中	（名）	chūzhōng	junior high school
33. 好在	（副）	hǎozài	fortunately
34. 听话	（形）	tīnghuà	to heed what an elder or superior says; obedient
35. 内	（名）	nèi	(as opposed to "外") in; inside
36. 懂事	（形）	dǒngshì	sensible
37. 歌手	（名）	gēshǒu	singer
38. 最初	（名）	zuìchū	at first; originally
39. 中央	（名）	zhōngyāng	centre
40. 去世	（动）	qùshì	to die; to pass away
41. 安定	（形、动）	āndìng	settled; to settle; to stabilize
42. 反而	（副）	fǎn'ér	on the contrary
43. 伤心	（形）	shāngxīn	sad; grieved
44. 身边	（名）	shēnbiān	at (or by) one's side
45. 成就	（名）	chéngjiù	success; achievement
46. 没脸		méi liǎn	to have no face

47. 同事	（名）	tóngshì	colleague
48. 孝	（形）	xiào	filial
49. 之	（助）	zhī	（used between an attribute and the word it modifies）of
50. 子	（名）	zǐ	son

三 注释 Zhùshì ● Notes

（一）老大 the eldest, the first child

老大：the eldest in the seniority of one's children；

老二：the second child；

老三：the third.

（二）为主 being the main

"为"是"作为"，"主"表示基本的，最重要的。常说"以……为主"。"以种地为主"是把种地作为主要职业。

"为" is "作为"（being）. "主" means basic or the most important. It is usually in the pattern "以……为主". "以种地为主" means "with farming as（being）the main profession".

（三）在家千日好，出门一时难

谚语。表示出门在外比在家困难。

It is a proverb to mean "Life away from home is always harder than at home".

（四）我自己的事三年内不考虑

I won't consider my marriage in three years.

句中"自己的事"是指"再婚"。

"自己的事" in the sentence means "marry again".

四 词语用法 Cíyǔ yòngfǎ ● Usage

（一）**总之** after all

也说"总而言之"，总括上文所说。

总之，Same as "总而言之"，is used to summarize what is said above.

(1) 要自己照顾自己，要自己洗衣服，还要学习怎么跟周围的人打交道。总之，挺难的。

(2) 听力、口语、阅读、写作，总之哪门功课都很重要，都得学好。

(3) 玛丽说要去西安，麦克说去云南，总之全班同学各有各的计划。

(4) 田芳喜欢打太极拳，张东喜欢打网球，我一般下午去操场玩一会儿篮球，总之，大家都比较注意锻炼。

（二）**总得** must；have to

表示必要、一定要，必然这样。

"总得" expresses necessity and obligation.

(1) 一个人长大以后，总得独立生活，不能总生活在父母身边。

(2) 一到春天，天气总得冷一阵才能慢慢变暖和。

(3) 不能去上课，总得告诉老师一声。

（三）**够** enough；sufficiently；reach

副词 adverb

Ⓐ 表示程度很高。用在形容词前。句末常带"的"、"了"、"的了"。

As an adverb, "够" means "to a very high degree". It is used before adjectives. The sentence often ends with "的"，"了"，"的了"，e. g.

(1) 家务事就够我为难的，想出去玩玩，哪怕看一场电影都不行。

· 163 ·

（2）他一个人又上班又要带孩子，够难的。

（3）你一个人住一个房间够好的了，我们都是两个人住一个房间。

（4）今年夏天天气够热的。

B. 表示达到一定标准。用在形容词前。形容词只能是积极意义的。不能是相应的反义词。

It also means "to a necessary degree" and is used before adjectives with positive connotations, the antonyms of which cannot be used with "够", e. g.

（5）你看这条裤子够不够长？

（6）他的个子当篮球运动员不够高。

动词 verb

A. 用手或工具伸到不易达到的地方取东西。

As a verb, "够" means to stretch out one's hand (or using a tool) to get something, usually from a place not very easy to reach.

（7）要站在椅子上，不然够不着。

（8）你够得着上边的那本书吗？

B. 满足或达到了需要的数量、标准、程度。

It also means to satisfy or reach a necessary amount, standard or degree.

（9）你一个月一千块钱够用吗？

（10）当翻译，我现在还不够资格（zīgé：qualifications）。

（11）路上带一瓶水够不够？

（12）你买的牛奶够我们喝两天。

C. 作结果补语，表示超过所需的标准、程度。表达厌烦，不喜欢的情绪。

As a complement of result, "够" indicates excessiveness, and hence, dislike or tiredness.

（13）每天吃这个，我早就吃够了。

（14）这个工作我真干够了。

（四）哪怕　even if, no matter how

表示假设出现某种情况或条件（也不会改变结果），后边多用"也"、"都"、"还"等呼应。

"哪怕" indicates "it makes no difference if…" and is usually followed by corresponding words like "也"，"都"，"还"，etc.

（1）家务事就够我为难的，想出去玩玩，哪怕是看一场电影都不行。

（2）哪怕今天晚上不睡觉，我也得把这篇文章写完。

（3）别说一百块钱，哪怕一千块钱我也要买。

（4）哪怕有再大的困难，我也要坚持学下去。

"哪怕"和"即使"用法基本相同。"哪怕"多用于口语。

The usage of "哪怕" is basically the same as "即使". The former is more often used in the spoken language.

（五）敢　dare

有勇气、大胆地做某事。用在动词前边。可以单独回答问题。表示否定用"不敢"、"没敢"。

"敢" means have the courage to do something. It is used before a verb and can be used singly as a response to a question. Its negative form is "不敢" or "没敢".

（1）晚上连电视我都不敢看，怕影响孩子学习。

（2）街上车太多，我不敢骑车上街。

（3）老师叫我们回答问题的时候，我总是不敢说。

（4）A：你敢不敢从这儿游过去？

　　　B：敢。

（六）好在　fortunately; luckily

指某种有利的方面（条件和情况）。

"好在" refers to having a good situation or condition.

(1) 最近我特别忙，没有时间照顾家，好在孩子还听话。

(2) 房间不太大，好在只我一个人住。

(3) 妈妈身体不太好，好在我们家离医院很近。

（七）为难 feel awkward

Ⓐ 感到不好办 find oneself in a difficult situation

(1) 一个男人带一个孩子，家务事就够我为难的。

(2) 他向我借钱，让我感到很为难，因为这个月我的钱也不够用。

(3) 朋友明天要回国，应该去送送他，可是明天有考试，我感到有点儿为难。

Ⓑ 使别人感到不好办 put others in a difficult situation

(4) 他真的不会唱歌，你就别为难他了。

（八）反而 on the contrary; instead

根据前文 A，下文应当出现情况 B，但是 B 没有出现，却出现了与 B 相反的情况 C，这时要用"反而"。表示 C 的出现不合常理或出乎意外。

"反而" is used to express strong opposition or disagreement with what has just been said. The usage is quite similar to its English counterpart.

(1) 春天到了，反而下起雪来了。

(2) 他离这儿最远，反而来得最早。

(3) 雨已经下了一天一夜了，不但没有停，反而越下越大了。

(4) 我们歌手的工作，生活都不安定，母亲知道了反而更伤心。

（九）一……就是……

表示某个动作一开始就持续很长时间。

Whenever sb. does sth., he/she will do it for a fairly long time.

（1）因没考上大学就留在北京当了歌手，一留就是四年。

（2）他晚上看书，一看就是几个小时。

（3）我在电脑前一坐就是一上午。

五 练习 Liànxí ● Exercises ···

1 语音 Phonetics Exercises

（1）辨音辨调 Pronunciations and tones

同事	tóngshì	同时	tóngshí
不孝	bú xiào	不小	bù xiǎo
话题	huàtí	滑梯	huátī
出事	chū shì	厨师	chúshī
自立	zìlì	资历	zīlì
一时	yìshí	于是	yúshì

（2）朗读 Read out the following proverbs

一口吃不成个胖子。	Yì kǒu chī bu chéng ge pàngzi.
失败是成功之母。	Shībài shì chénggōng zhī mǔ.
青出于蓝而胜于蓝。	Qīng chū yú lán ér shèng yú lán.
人无远虑，必有近忧。	Rén wú yuǎn lǜ, bì yǒu jìn yōu.

2 词语 Read out the following phrases

从今天起	从明年起	从下个星期起
以种地为主	以学习为主	以工作为主
当了歌手	当了翻译	当了老师
影响学习	影响休息	受影响
抚养孩子	抚养大	抚养成人
生活很苦	工作很苦	中药很苦

3 选词填空 Choose words to fill in the blanks

A. 为主 好在 讲述 照顾 为难 一时 反映 伤心 安定 最初 够 哪怕

(1) 这个电影_____了一个农村教师的故事。

(2) 这个故事_____了改革开放以后中国农村的变化。

(3) 学生当然应该以学习_____。

(4) 他是我初中时的同学，不过我_____想不起来他的名字了。

(5) 我来留学以后，妹妹负责_____我的小狗。

(6) 我每天都觉得时间不_____用。

(7) 这件事让她感到很_____。

(8) _____生活再困难，爸爸也从来没有在困难面前低过头。

(9) 刚来时我各方面都不习惯，_____我有几个好朋友，他们给了我很多帮助。

(10) _____我想去美国留学，后来才决定来中国的。

(11) 她喜欢当教师，她认为教师的工作比较_____。

(12) 看她哭得这么_____，我不知道怎么办好。

B.

(1) 雨不但没有停，_____下得更大了。　（但是　反面）

(2) 雨没有停，_____比刚才小多了。　（但是　反而）

(3) _____再苦再累也要坚持下去。　（尽管　哪怕）

(4) _____很苦很累，但是大家的心情都很愉快。
　　　　　　　　　　　　　　（尽管　哪怕）

(5) _____情况下，我星期六、星期日都在家。　（普通　一般）

(6) 这个电影讲的是一个_____人的故事。　（普通　一般）

4 完成句子　Complete the following sentences

(1) 一个人在国外留学，要自己照顾自己，自己做饭吃，自己洗
    衣服，＿＿＿＿＿＿＿＿。　　　　　　　　　　　（总之）

(2) 他喝了很多酒，不能让他再开车了，＿＿＿＿＿＿＿＿＿＿＿
    ＿＿＿＿＿＿＿。　　　　　　　　　　　　　　　（怕）

(3) 朋友想跟我借钱，可是我这个月的钱也不够用了，＿＿＿＿＿
    ＿＿＿＿＿＿＿。　　　　　　　　　　　　　　　（为难）

(4) 昨天晚上几乎一夜没睡，我真想找个地方睡一会儿，＿＿＿＿
    ＿＿＿＿＿＿＿。　　　　　　　　　（哪怕……也……）

(5) 妈妈总为我个人的事着急，可我想继续读书，＿＿＿＿＿＿＿
    ＿＿＿＿＿＿＿。　　　　　　　　　　　　　　　（再说）

(6) 这些名胜古迹我都去过，你是北京人＿＿＿＿＿＿＿＿＿＿＿
    ＿＿＿＿＿＿＿。　　　　　　　　　　　　　　　（反而）

5 完成会话　Complete the following dialogues

(1) A：明天我们去爬山吧。
    B：我不想去，星期一要考试，＿＿＿＿＿＿＿＿＿＿＿＿。
    　　　　　　　　　　　　　　　　　　　　　　　（总得）

(2) A：你去机场送她吗？
    B：应该送送她，可是我们明天＿＿＿＿＿＿＿＿＿＿。
    　　　　　　　　　　　　　　　　　　　　　　　（为难）

(3) A：你这本书先借给我看看吧，＿＿＿＿＿＿＿＿＿＿。
    　　　　　　　　　　　　　　　　　　　　　　　（哪怕）
    B：好吧，你拿去看吧。

(4) A：你不打算结婚了？
    B：我还想继续读书，＿＿＿＿＿＿＿＿＿。　　（再说）

(5) A：她哭得那么伤心，快去安慰安慰她吧。

B：不用，过一会儿就好了，你一安慰，她＿＿＿＿＿＿＿＿＿＿＿。

（反而）

(6) A：北京的天气真怪，春天了，＿＿＿＿＿＿＿＿＿＿＿。

（反而）

B：每年春天都是这样，总要冷几天。

6 连句成段 Link the sentences into paragraphs

(1) A. 还说动物中鸟类的语言和人类的语言几乎一样多，虽然它们发出的只是不同的声音，还不能算作语言

B. 报上说，世界上人类的语言有两千七百多种

C. 报告中说，像人类那样，一种鸟类也爱学习别的鸟类的语言

D. 动物学家通过考察，写出了一份有趣的鸟类语言的报告

＿＿＿＿＿＿＿＿＿＿＿＿＿＿＿＿＿＿＿＿＿＿＿

(2) A. 因此，维护大气圈的良好状态已成为各国人民的共同要求

B. 大气中的二氧化碳逐渐增加，地球表面散热作用越来越弱

C. 科学家指出，目前，由于人类大量燃烧煤、石油、天然气

D. 如果这样下去，地球上的气温可能会越来越高，严重影响人类的生存

＿＿＿＿＿＿＿＿＿＿＿＿＿＿＿＿＿＿＿＿＿＿＿

7 改错句 Correct the sentences

(1) 哪怕今天怎么再忙，我都要把这本书看完。

＿＿＿＿＿＿＿＿＿＿＿＿＿＿＿＿＿＿＿＿＿＿＿

(2) 我们都喜欢看这个电影，他反而不喜欢。

＿＿＿＿＿＿＿＿＿＿＿＿＿＿＿＿＿＿＿＿＿＿＿

(3) 日本同学说日语很容易学，我反而觉得很难学。

_____

(4) 现在春天了，天气不但不暖和，反而不冷。

_____

(5) 她没来过中国，反而想来中国。

_____

(6) 她考试不太好，觉得很没脸了。

_____

8 情景表达　Language and context

A. 什么情况下说？

(1) 你出国留学已经快一年了，什么时候让你觉得"挺难的"？
什么时候"心情会好一点儿"？

(2) 说说曾经让你感到"为难"的事。

(3) 什么情况下你会觉得"伤心"？

(4) 你有没有"心里挺苦"的时候？是什么时候？

B. 下列情况怎么表达？

(1) 离开家一年了，总觉得在外边没有在家好，怎么说？

（在家千日好，出门一时难）

(2) 同学们都考上了大学，而自己没有考上，心情很不好。怎
么说？　　　　　　　　　　　（实在没脸见同学朋友）

(3) 谈了多年的女朋友吹了，心里很难受，怎么说？

（心里挺苦的）

9 综合填空 Fill in the blanks

徐霞客

徐霞客（Xú Xiákè）是中国古代有名①_____旅行家、地理学家。②_____从小就热爱大自然，特别爱读地理和探险游记一类的书，不少章节他都能背下③_____。

十九岁那年，徐霞客想外出游历考察，实现他从小立下的志愿，走遍中国的山山水水，考察大自然。但他又担心母亲年纪大了，无人照顾，心中有点儿犹豫，也④_____为难。母亲看出了他的心思，就⑤_____他说："人常说，猪舍养不出千里马，花盆种不下万年松。好男儿要志在四方。孩子，别管我，你走吧！"

在母亲的支持下，他从太湖出发，翻过了五⑥_____大山。每到一个地方都把自己看到的记录下来，后来写⑦_____了《徐霞客游记》。这部书既是优秀的散文集，⑧_____是重要的地理著作，在中国科学文化史上占有十分重要的地位。

补充生词　Supplementary words

1. 地理　dìlǐ　geography
2. 探险　tànxiǎn　to explore
3. 游记　yóujì　travel motes
4. 游历　yóulì　travel for pleasure
5. 志　zhì　will
6. 四方　sìfāng　four directions；all sides
7. 翻山　fān shān　to tramp over mountain
8. 地位　dìwèi　position or status in social relations

附录:

部分练习参考答案

第一课　Lesson 1

6. 连句成段　Link the sentences into paragraphs

（1）B　C　D　A

（2）B　A　C　D

7. 改错句　Correct the sentences

（1）这件事你不该瞒她。

（2）我终于来到了中国。

（3）你可以把我当作你的朋友。

（4）看到这种情况，我流下了眼泪。

（5）因为买票的人太多，我们没有买到卧铺票，只好买了硬座票。

（6）我把行李放在机场的大厅里。

（7）她跟一个有钱人结了婚。/她嫁给了一个有钱人。

（8）我是喝妈妈的奶长大的。

9. 综合填空　Fill in the blanks

（1）给/为　（2）着/了　（3）出来　（4）上　（5）一切

（6）如果　（7）就　（8）她　（9）在　（10）使

第二课　Lesson 2

6. 连句成段　Link the sentences into paragraphs

（1）A　C　D　B

（2）C　B　D　A　E

7. 改错句　Correct the sentences

（1）一切困难我都不怕。

(2) 我昨天叫她别去，可是她还是去了，我白说了。

(3) 他每天早上在公园里打太极拳，练气功。

(4) 各国都有不同的习惯和想法。

(5) 我躺在床上翻来倒去睡不着。

(6) 我把这里的景色照了下来。/我把这里的景色拍了下来。

9. **综合填空** Fill in the blanks

(1) 可是 (2) 出来 (3) 就 (4) 吧 (5) 去

(6) 得 (7) 才 (8) 还

第三课　Lesson 3

6. **连句成段** Link the following sentences into paragraphs

(1) B　D　C　A

(2) D　B　A　C

7. **改错句** Correct the sentences

(1) 我很喜欢北京，大街上有很多树，很绿。

(2) 中国的大街上到处是自行车。

(3) 我把房间打扫干净了。

(4) 她生病了，可是她不想去医院打针。

(5) 这个周末你想不想去旅行？

(6) 我非常爱我的女朋友。

9. **综合填空** Fill in the blanks

(1) 着 (2) 了 (3) 雨 (4) 起/着 (5) 把 (6) 把

(7) 他们 (8) 所以

第四课　Lesson 4

6. **连句成段** Link the sentences into paragraphs

(1) B　A　C　D

（2） A　D　C　B　E

7. **改错句**　Correct the sentences
   （1） 听了她的话，我心里热乎乎的。
   （2） 这是很自然的事，哪国人都会这样。
   （3） 我昨天晚上做了一个梦，梦见了我的朋友。
   （4） 跟朋友分别的时候，我心里很难过。
   （5） 我不愿意太麻烦你。
   （6） 他用照相机把我吃饭的样子拍/照了下来。

9. **综合填空**　Fill in the blanks
   （1） 了　　（2） 回　　（3） 上面　　（4） 了　　（5） 都　　（6） 地
   （7） 着　　（8） 原来

第五课　Lesson 5

6. **连句成段**　Link the sentences into paragraphs
   （1） B　A　C　D　E
   （2） D　A　C　B　E

7. **改错句**　Correct the sentences
   （1） 中国人常常跟我打招呼说"你去哪儿了？"
   （2） 他们家有四口人，他、妻子和两个女儿。
   （3） 我认识了一个中国同学，她是个美丽的姑娘。
   （4） 他们向我招手，但是我不想理他们。
   （5） 今天天气不好，你要多穿衣服，不要感冒了。
   （6） 我至今没去过把香港。

9. **综合填空**　Fill in the blanks
   （1） 就　　（2） 没想到/可是　　（3） 我　　（4） 了　　（5） 她
   （6） 二　　（7） 向　　（8） 也

第六课　Lesson 6

6. 连句成段　Link the sentences into paragraphs

(1) C　A　D　B

(2) B　D　C　A　E

7. 改错句　Correct the sentences

(1) 虽然我们两个认识的时间不长，但很快成了好朋友。

(2) 今天该上口语课，不料老师没来。

(3) 每次舞会她都不参加，没想到今天她竟然来了。

(4) 她是我的老师，也是我的朋友。

(5) 星期六晚上我都睡得特别晚。

(6) 校园里的花开得非常好看。

9. 综合填空　Fill in the blanks

(1) 在　(2) 个　(3) 的　(4) 得　(5) 得

(6) 下去　(7) 要/让　(8) 上

第七课　Lesson 7

6. 连句成段　Link the sentences into paragraphs

(1) C　B　D　A

(2) C　A　D　B

7. 改错句　Correct the sentences

(1) 她已经病了好几天了，我们都不知道。

(2) 既然病了，就不要去上课了。

(3) 这些都是我学过的生词，所以我记住了。

(4) 不管天气好不好，我们都得去上课。

(5) 不管这个问题多么难，我们都得把它解决。

（6）不管下多大雨，我们也不怕。

（7）不但他没上课，而且我也没去。

（8）老师的问题，不但我不会回答，她也不会回答。

9. 综合填空 Fill in the blanks

（1）河　（2）把　（3）去　（4）从　（5）去　（6）找

第八课　Lesson 8

6. 连句成段 Link the sentences into paragraphs

（1）D　C　B　A

（2）D　A　C　B

7. 改错句 Correct the sentences

（1）她是一个又漂亮又聪明的姑娘，我很喜欢她。

（2）我很爱她，但是她并不知道。

（3）他失恋了，很痛苦。

（4）最近我的心里很矛盾，不知道出国留学好呢，还是在国内上大学好。

（5）他一连三天没上课了。

（6）请大家尽情地唱吧。

9. 综合填空 Fill in the blanks

（1）了　（2）很/非常/特别　（3）同/一样　（4）我们　（5）可

（6）我　（7）了　（8）谁

第九课　Lesson 9

6. 连句成段 Link the sentences into paragraphs

（1）C　A　B　D

（2）B　D　C　A

7. 改错句 Correct the sentences

（1）去年我姐姐跟她丈夫离了婚。／我姐姐去年离婚了。

（2）我以前没来过中国，这是第一次。

（3）爸爸老了，他很喜欢回忆以前的好时光。

（4）到中国以后，我决定到云南少数民族地区去旅行。

（5）因为妈妈是在海边长大的，所以，她常常带我们去看海。

（6）火车站人很多，所以我们要等很长时间。

9. 综合填空 Fill in the blanks

（1）可是　（2）出　（3）把　（4）比　（5）就/他

（6）了　（7）都　（8）了

第十课　Lesson 10

6. 连句成段 Link the sentences into paragraphs

（1）D　B　C　A

（2）C　D　B　A　E

7. 改错句 Correct the sentences

（1）他已经辞职了，接着就要去中国留学。

（2）他想让老师对他刮目相看。

（3）一般的中国电影他不太喜欢，但这个电影她却很喜欢。

（4）我虽然很爱她，但她不喜欢我，没办法。

（5）我没有给妈妈打电话，妈妈埋怨我了。

　　　／我没有给妈妈打电话，妈妈说我了。

（6）在北京骑自行车比在香港容易。

9. 综合填空 Fill in the blanks

（1）进　（2）了　（3）要　（4）下去　（5）着

（6）的　（7）起来　（8）更

第十一课　Lesson 11

6. 连句成段　Link the following sentences into paragraphs

（1）D　A　C　B

（2）B　A　D　C

7. 改错句　Correct the sentences

（1）因为是个新电影，大家都争着买票看。

（2）秋天一到，商店里有各种各样的水果。/秋天一到，有各种各样的水果。

（3）我走路上街的时候，被一辆自行车撞伤了。

（4）抬头一看，只见天空有很多星星。

（5）太阳已经落了，我们快下山去吧。

9. 综合填空　Fill in the blanks

（1）得　　（2）后/以后　　（3）的　　（4）说　　（5）出

（6）于是　　（7）上　　（8）还

第十二课　Lesson 12

6. 连句成段　Link the following sentences into paragraphs

（1）C　D　E　A　B

（2）C　A　E　D　B

7. 改错句　Correct the sentences

（1）他的汉语说得很好，他很得意。/他感到得意的是自己的汉语说得不错。

（2）我要赶快交作业，免得老师批评。/我要按时交作业，免得老师批评。

（3）纪念碑前的鲜花表示人们对烈士们的悼念。

（4）尽管我很努力，但是考试的成绩不太好。

（5）你再提醒他一声，免得他忘了。

（6）我碰了他一下，连忙说了声："对不起。"

9. **综合填空** Fill in the blanks

（1）了　　（2）着　　（3）当/当成　　（4）来　　（5）得

（6）使　　（7）就　　（8）起

第十三课　Lesson 13

6. **连句成段** Link the sentences into paragraphs

（1）B　D　C　A

（2）C　B　D　A

7. **改错句** Correct the sentences

（1）哪怕今天再忙，我都要把这本书看完。

（2）我们都喜欢看这个电影，他却不喜欢。

（3）日本同学说，日语很容易学，但是我觉得很难学。

（4）现在春天了，天气不但不暖和，反而很冷。

（5）她没来过中国，很想来中国。

（6）她考试不太好，觉得很没脸/很丢人。

9. **综合填空** Fill in the blanks

（1）的　　（2）他　　（3）来　　（4）感到　　（5）对

（6）座　　（7）出/成　　（8）又

爱恋	（动）	àiliàn	8
安定	（形、动）	āndìng	13
安慰	（动、名）	ānwèi	12
白	（副）	bái	6
百姓	（名）	bǎixìng	13
半死不活		bàn sǐ bù huó	6
帮助	（动、名）	bāngzhù	4
报仇		bào chóu	10
爆	（动）	bào	12
背	（动）	bēi	9
被子	（名）	bèizi	12
本	（代）	běn	13
蹦	（动）	bèng	6
彼此	（代）	bǐcǐ	11
编辑	（名、动）	biānjí	13
标准	（名、形）	biāozhǔn	9
表达	（动）	biǎodá	1
表情	（名）	biǎoqíng	6
表示	（动、名）	biǎoshì	2
并	（副、连）	bìng	6
不管	（连）	bùguǎn	7
不料	（连）	búliào	6
不约而同		bù yuē ér tóng	11
不知不觉		bù zhī bù jué	8
部分	（名）	bùfen	3

彩虹	（名）	cǎihóng	4
操作	（动）	cāozuò	10
草原	（名）	cǎoyuán	11
差	（形）	chà	7
场	（量）	chǎng	3
朝	（介）	cháo	11
吵架		chǎo jià	6
车胎	（名）	chētāi	12
成功	（动）	chénggōng	4
成就	（名）	chéngjiù	13
成语	（名）	chéngyǔ	7
诚心诚意		chéng xīn chéng yì	12
程序	（名）	chéngxù	10
橙红	（形）	chénghóng	11
吃力		chī lì	12
吃力不讨好		chī lì bù tǎo hǎo	12
充满	（动）	chōngmǎn	3
冲	（动）	chōng	11
出气		chū qì	10
出事		chū shì	13
初中	（名）	chūzhōng	13
橱窗	（名）	chúchuāng	2
传	（动）	chuán	6
船	（名）	chuán	3

多半	（副）	duōbàn	1	改天	（副）	gǎitiān	10
多么	（副）	duōme	3	尴尬	（形）	gāngà	6
儿女	（名）	érnǚ	9	感激	（动）	gǎnjī	9
儿子	（名）	érzi	7	高中	（名）	gāozhōng	13
而	（连）	ér	1	歌手	（名）	gēshǒu	13
发动	（动）	fādòng	5	隔壁	（名）	gébì	6
发亮		fā liàng	11	个人	（名）	gèrén	9
翻来覆去		fān lái fù qù	8	个子	（名）	gèzi	2
反而	（副）	fǎn'ér	13	根本	（名、副）	gēnběn	7
反问	（动）	fǎnwèn	10	更加	（副）	gèngjiā	12
反映	（动）	fǎnyìng	13	工程	（名）	gōngchéng	9
犯	（动）	fàn	10	公开	（动、形）	gōngkāi	8
放心		fàng xīn	1	姑娘	（名）	gūniang	3
飞碟	（名）	fēidié	11	古老	（形）	gǔlǎo	1
分别	（副）	fēnbié	2	鼓励	（动）	gǔlì	4
分别	（动）	fēnbié	4	顾客	（名）	gùkè	7
分享	（动）	fēnxiǎng	6	瓜	（名）	guā	3
愤怒	（形）	fènnù	10	刮目相看		guā mù xiāng kàn	
风雨	（名）	fēngyǔ	4				10
封	（量）	fēng	2	关心	（动）	guānxīn	2
锋利	（形）	fēnglì	7	光亮	（名）	guāngliàng	11
抚养	（动）	fǔyǎng	9	光束	（名）	guāngshù	11
付	（动）	fù	5	广场	（名）	guǎngchǎng	3
付出	（动）	fùchū	4	逛	（动）	guàng	12
复印机	（名）	fùyìnjī	10	国庆节		Guóqìng Jié	3
副	（量）	fù	7	国王	（名）	guówáng	7
副业	（名）	fùyè	13	果	（名）	guǒ	3
富强	（形）	fùqiáng	9	果然	（副）	guǒrán	1
富翁	（名）	fùwēng	9	孩子	（名）	háizi	4
改变	（动）	gǎibiàn	1	喊	（动）	hǎn	7

好不	（副）	hǎobù	12	既…又…		jì…yòu…	10
好玩儿	（形）	hǎowánr	2	既然	（连）	jìrán	7
好像	（动）	hǎoxiàng	4	加	（动）	jiā	8
好心	（名）	hǎoxīn	9	加班	（动）	jiā bān	10
好在	（副）	hǎozài	13	家伙	（名）	jiāhuo	8
合奏	（名）	hézòu	7	家教	（名）	jiājiào	13
横	（动）	héng	12	家务	（名）	jiāwù	13
红人	（名）	hóngrén	10	价钱	（名）	jiàqian	5
吼	（动）	hǒu	12	坚固	（形）	jiāngù	7
后	（名）	hòu	2	坚强	（形）	jiānqiáng	4
湖	（名）	hú	3	艰苦	（形）	jiānkǔ	4
划	（动）	huá	3	兼	（动）	jiān	13
划船		huá chuán	3	简直	（副）	jiǎnzhí	4
话题	（名）	huàtí	9	见面		jiàn miàn	5
缓慢	（形）	huǎnmàn	2	健康	（形）	jiànkāng	2
黄	（形）	huáng	2	渐渐	（副）	jiànjiàn	11
恢复	（动）	huīfù	11	讲述	（动）	jiǎngshù	13
挥	（动）	huī	1	降落	（动）	jiàngluò	11
回报	（动）	huíbào	9	交	（动）	jiāo	2
回答	（动）	huídá	5	交谈	（动）	jiāotán	4
回头	（副）	huítóu	5	郊外	（名）	jiāowài	3
回忆	（动、名）	huíyì	9	叫卖	（动）	jiàomài	7
混	（动）	hùn	7	今后	（名）	jīnhòu	1
火锅	（名）	huǒguō	3	尽管	（连）	jǐnguǎn	12
基本	（形）	jīběn	2	尽量	（副）	jǐnliàng	8
激动	（形）	jīdòng	11	惊呆		jīng dāi	11
急促	（形）	jícù	11	景色	（名）	jǐngsè	3
疾病	（名）	jíbìng	2	警惕	（动）	jǐngtì	6
几乎	（副）	jīhū	5	竟然	（副）	jìngrán	6
技巧	（名）	jìqiǎo	10	举	（动）	jǔ	7

巨大	（形）	jùdà	11	联系	（动、名）	liánxì	1
捐	（动）	juān	9	脸	（名）	liǎn	9
君子	（名）	jūnzǐ	10	恋爱	（动、名）	liàn'ài	8
开办	（动）	kāibàn	13	恋恋不舍		liànliàn bù shě	1
开朗	（形）	kāilǎng	8	料到	（动）	liàodào	8
开心	（形）	kāixīn	8	邻居	（名）	línjū	6
开夜车		kāi yèchē	10	邻座	（名）	línzuò	5
考虑	（动、名）	kǎolǜ	1	林荫道	（名）	línyīndào	12
颗	（量）	kē	6	临	（动）	lín	1
可能性	（名）	kěnéngxìng	11	临了	（副）	línliǎo	5
可笑	（形）	kěxiào	4	溜	（动）	liū	7
刻苦	（形）	kèkǔ	10	留	（动）	liú	10
课外	（名）	kèwài	2	露	（动）	lù	6
口头语	（名）	kǒutóuyǔ	5	路	（名）	lù	5
快速	（形）	kuàisù	11	旅途	（名）	lǚtú	4
筷子	（名）	kuàizi	2	马大哈	（名）	mǎdàhā	12
拉链	（名）	lāliàn	12	埋怨	（动）	mányuàn	10
来	（动）	lái	6	瞒	（动）	mán	1
来自	（动）	láizì	2	毛笔	（名）	máobǐ	2
滥竽充数		làn yú chōng shù	7	毛病	（名）	máobìng	10
老百姓	（名）	lǎobǎixìng	13	矛	（名）	máo	7
老大	（名）	lǎodà	13	矛盾	（动、形）	máodùn	7
愣	（动）	lèng	5	贸易	（名）	màoyì	10
离别	（动）	líbié	1	没脸		méi liǎn	13
离婚		lí hūn	9	没准儿	（动）	méizhǔnr	5
理	（动）	lǐ	5	每	（副）	měi	3
理想	（名、形）	lǐxiǎng	4	美好	（形）	měihǎo	9
立刻	（副）	lìkè	8	美丽	（形）	měilì	3
连忙	（副）	liánmáng	11	梦	（名）	mèng	4
连声	（副）	liánshēng	12	梦见	（动）	mèngjiàn	4

塞	(动)	sāi	1			jiǎo luàn	
森林	(名)	sēnlín	11	手指	(名)	shǒuzhǐ	6
傻瓜	(名)	shǎguā	11	书包	(名)	shūbāo	9
闪	(动)	shǎn	11	书画	(名)	shūhuà	2
善良	(形)	shànliáng	3	舒展	(形)	shūzhǎn	2
伤心	(形)	shāngxīn	13	熟	(形)	shú	6
上	(名)	shàng	2	熟练	(形)	shúliàn	10
设计	(动)	shèjì	10	熟悉	(形)	shúxī	5
身边	(名)	shēnbiān	13	数	(动)	shǔ	3
神奇	(形)	shénqí	11	束	(量)	shù	8
甚至	(连)	shèn zhì	10	甩	(动)	shuǎi	8
升职		shēng zhí	10	双	(量)	shuāng	12
生物	(名)	shēngwù	11	双职工	(名)	shuāngzhígōng	12
生意	(名)	shēngyi	6	顺路		shùn lù	5
胜	(动)	shèng	11	死	(动、形)	sǐ	7
失败	(动)	shībài	4	速度	(名)	sùdù	11
失恋		shī liàn	8	酸甜苦辣		suān tián kǔ là	4
失去	(动)	shīqù	4	算	(动)	suàn	9
失学		shī xué	9	所	(量)	suǒ	4
诗	(名)	shī	2	太太	(名)	tàitai	5
实话	(名)	shíhuà	1	太阳	(名)	tàiyáng	11
实现	(动)	shíxiàn	1	态度	(名)	tàidu	10
实在	(形、副)	shízài	5	讨好		tǎo hǎo	12
事情	(名)	shìqing	1	提高	(动)	tígāo	10
适应	(动)	shìyìng	2	体质	(名)	tǐzhì	2
收	(动)	shōu	12	天空	(名)	tiānkōng	11
收成	(名)	shōucheng	3	条件	(名)	tiáojiàn	9
收获	(名、动)	shōuhuò	6	跳	(动)	tiào	6
收入	(名)	shōurù	9	听从	(动)	tīngcóng	10
手忙脚乱		shǒu máng	11	听话	(形)	tīnghuà	13

同时	（名）	tóngshí	5	吓	（动）	xià	7
同事	（名）	tóngshì	13	仙境	（名）	xiānjìng	11
统一	（形、动）	tǒngyī	9	鲜花	（名）	xiānhuā	3
痛快	（形）	tòngkuai	11	鲜美	（形）	xiānměi	11
头儿	（名）	tóur	10	显得	（动）	xiǎnde	3
投稿		tóu gǎo	13	县	（名）	xiàn	11
透	（动）	tòu	7	想法	（名）	xiǎngfǎ	1
团结	（动）	tuánjié	2	想念	（动）	xiǎngniàn	1
推	（动）	tuī	12	向往	（动）	xiàngwǎng	3
推辞	（动）	tuīcí	5	项	（量）	xiàng	2
退缩	（动）	tuìsuō	4	消息	（名）	xiāoxi	8
脱	（动）	tuō	3	小孩子	（名）	xiǎoháizi	4
外交	（名）	wàijiāo	8	孝	（形）	xiào	13
完全	（形）	wánquán	9	笑容	（名）	xiàoróng	9
望	（动）	wàng	1	心爱	（动）	xīn'ài	8
微笑	（动）	wēixiào	8	心事	（名）	xīnshì	4
为难	（动）	wéinán	13	心疼	（动）	xīnténg	12
围	（动）	wéi	3	薪	（名）	xīn	10
味道	（名）	wèidao	11	信心	（名）	xìnxīn	4
温暖	（形）	wēnnuǎn	5	星星	（名）	xīngxing	11
文件	（名）	wénjiàn	10	行为	（名）	xíngwéi	9
问候	（动）	wènhòu	8	姓名	（名）	xìngmíng	13
涡流	（名）	wōliú	11	性别	（名）	xìngbié	13
无比	（形）	wúbǐ	7	修理	（动）	xiūlǐ	10
无聊	（形）	wúliáo	8	许多	（数）	xǔduō	6
无奈	（形）	wúnài	11	悬	（动）	xuán	11
无数	（形）	wúshù	11	选择	（动）	xuǎnzé	4
吸引	（动）	xīyǐn	7	学院	（名）	xuéyuàn	13
喜悦	（形）	xǐyuè	6	寻常	（形）	xúncháng	11
系	（名）	xì	4	压	（动）	yā	12

眼泪	（名）	yǎnlèi	1	乐队	（名）	yuèduì	7
羊肉	（名）	yángròu	11	乐器	（名）	yuèqì	7
耀眼	（形）	yàoyǎn	11	乐曲	（名）	yuèqǔ	7
叶子	（名）	yèzi	6	再说	（动）	zàishuō	5
一辈子	（数量）	yíbèizi	13	赞成	（动）	zànchéng	4
一连	（副）	yìlián	8	增强	（动）	zēngqiáng	2
一齐	（副）	yìqí	7	摘	（动）	zhāi	6
一时	（名）	yìshí	13	展出	（动）	zhǎnchū	2
以…为主		yǐ…wéi zhǔ	13	站	（动）	zhàn	2
以为	（动）	yǐwéi	12	丈夫	（名）	zhàngfu	6
意识	（动）	yìshi	11	招手		zhāo shǒu	5
意外	（形、名）	yìwài	6	照顾	（动）	zhàogù	13
意义	（名）	yìyì	4	照亮		zhào liàng	11
因此	（连）	yīncǐ	1	真正	（形）	zhēnzhèng	6
阴	（形）	yīn	12	整个	（形）	zhěnggè	8
拥有	（动）	yōngyǒu	9	之	（助）	zhī	13
永远	（副）	yǒngyuǎn	9	之后	（名）	zhīhòu	5
用力		yòng lì	11	支	（量）	zhī	4
优美	（形）	yōuměi	2	直	（副、形）	zhí	11
忧愁	（形）	yōuchóu	8	职业	（名）	zhíyè	13
犹豫	（形）	yóuyù	5	只见	（动）	zhǐjiàn	11
游人	（名）	yóurén	3	指	（动）	zhǐ	12
友好	（形）	yǒuhǎo	3	至今	（副）	zhìjīn	5
有说有笑		yǒu shuō		至于	（介、动）	zhìyú	5
		yǒu xiào	8	智能	（名）	zhìnéng	11
竽	（名）	yú	7	中文系	（名）	Zhōngwénxì	4
宇宙	（名）	yǔzhòu	11	中央	（名）	zhōngyāng	13
预防	（动）	yùfáng	2	终于	（副）	zhōngyú	1
愿	（动）	yuàn	3	种地		zhòng dì	13
愿望	（名）	yuànwàng	1	重任	（名）	zhòngrèn	10

重视	（动）	zhòngshì	10	自立	（动）	zìlì	13
洲	（名）	zhōu	2	自然	（形、名）	zìrán	8
竹子	（名）	zhúzi	2	自相矛盾		zì xiāng máodùn	7
主动	（形）	zhǔdòng	5	自在	（形）	zìzài	1
嘱咐	（动）	zhǔfù	1	自转	（动）	zìzhuàn	11
注视	（动）	zhùshì	6	总得	（副）	zǒngděi	13
著名	（形）	zhùmíng	4	总之	（连）	zǒngzhī	13
抓	（动）	zhuā	11	走运		zǒu yùn	12
专	（副）	zhuān	7	足	（形）	zú	10
专栏	（名）	zhuānlán	13	祖国	（名）	zǔguó	9
专业	（名）	zhuānyè	4	嘴	（名）	zuǐ	6
装	（动）	zhuāng	9	最初	（名）	zuìchū	13
滋味	（名）	zīwèi	8	左顾右盼		zuǒ gù yòu pàn	5
紫	（形）	zǐ	6	作家	（名）	zuòjiā	11
自	（介）	zì	2	作用	（名、动）	zuòyòng	2

专有名词　Proper Names

澳洲	Àozhōu	2
北海	Běihǎi	3
非洲	Fēizhōu	2
福海县	Fúhǎi Xiàn	11
复兴门	Fùxīngmén	5
美洲	Měizhōu	2
南郭先生	Nánguō xiānshēng	7
南京	Nánjīng	4
十三陵	Shísānlíng	3
乌鲁木齐	Wūlǔmùqí	11